新潮文庫

藤原氏の正体

関　裕二著

新潮社版

8398

はじめに

七世紀、逆臣蘇我入鹿《そがのいるか》誅殺《ちゅうさつ》で活躍した藤原《ふじわらの》（中臣《なかとみの》）鎌足《かまたり》の登場以来、藤原一族は、日本の頂点に君臨しつづけた。極論すれば、日本の歴史は、藤原氏の歴史そのものなのである。

平安時代、藤原道長《みちなが》は、

この世をば我が世とぞ思ふ望月《もちづき》の　欠けたることもなしと思へば

という、傲慢《ごうまん》きわまりない歌を残した。

傲慢だが事実である。朝堂《ちょうどう》は藤原一党に牛耳《ぎゅうじ》られ、他の氏族は藤原氏のご機嫌をうかがい、平伏するほか手はなくなっていたのである。

藤原摂関家《せっかんけ》は日本各地の土地を貪欲《どんよく》にもぎ取り、

「他人が錐《きり》を突き立てる隙《すき》もないほどの領土をひとりじめしている」

と批難されるほどであった。

藤原氏が日本中の土地を占有したという話は、やや誇張が込められていたようだが、天皇家の外戚《がいせき》となることによって、揺るぎない権力を手に入れたことは事実だ。気に入らない天皇を自由に退位させられるほどの力である。

この時代、日本は藤原氏の私物と化したといっても過言ではなく、その後も、この一族はしぶとく生き残っていく。

中世にいたり、貴族社会が没落した後も、藤原氏は巧妙に武家社会に血脈を拡《ひろ》げ、時の権力者を陰で操る、という七世紀来の繁栄の手管《てくだ》を保ちつづけるのである。

近世の貧窮はあったものの、近代にいたり、明治維新と共に、不死鳥のように蘇《よみがえ》る。藤原氏は天皇にもっとも近い一族だったから、華族の筆頭に持ち上げられ、以後、新たな門閥、閨閥《けいばつ》を再構築し、エスタブリッシュメントとして、日本社会に隠然たる影響力を及ぼしつづけている。恐るべきことに、藤原の血脈は、政界、官界、経済界、学界と、現代日本の中枢《ちゆうすう》の隅々にまで張り巡らされているのである。

例えば、田中角栄《かくえい》元首相が今太閤《いまたいこう》と呼ばれ、また庶民宰相とも呼ばれたのは、日本を実質的に支配する門閥の外から権力の中枢に登りつめたからにほかならず、だからこそロッキード事件で、エスタブリッシュメントにはめられ排斥されたという話が、まことしやかに語られるわけである。

このように、日本の歴史を語り、現代社会の実相を知るために、「藤原」は避けて通れない。だが、これまで「藤原」について、日本人はあまりに無知であり、無関心でありすぎたように思う。

なぜ「藤原」は忘れ去られていたのであろうか。一つ穿《うが》った考えを許されるなら、それは「藤原と天皇家が近すぎた」からではあるまいか。

「天皇」を語るには、タブーがあるとされている。しかしその幻想の皮をはぎとれば、じっさいのタブーは「天皇」にあったのではなく、「天皇」を隠れ蓑《みの》にして私利私欲に走った権力者「藤原」にこそかけられていたのではあるまいか。天皇の正体を明かすということは、藤原の歴史を白日のもとに曝《さら》す作業にほかならないからである。

本書は、日本を支配する「権力の一族」藤原氏の実像を、古代史に遡《さかのぼ》って読み解こうとするものである。

なぜ藤原氏は、尋常ならざる権力欲を千年に渡って持続できたのか、そして、権力を手放さなかったのか……。その理由は、この一族の成り立ちの中に隠されているはずである。

目次

はじめに　3

第一章　「積善の藤家」の謎　15

大化改新は本当に正義の改革だったのか／目に余った蘇我氏の専横／中臣鎌足と中大兄皇子の劇的な出会い／入鹿暗殺の顛末／腑に落ちない『日本書紀』の分注／崩れ去る常識／不審火に包まれる中大兄皇子の宮／非難されていた中大兄皇子／中臣鎌足を襲った祟り／斉明天皇につきまとう鬼／積善の藤家の謎／正史の落雷記事と「積善の藤家」の因果／祟りにおびえる藤原氏／「滅罪」こそが藤原氏の「善行」だった？／現代日本の閨閥を牛耳る藤原氏／昭和天皇の前で足を組んだ近衛文麿／多くの皇族を殺害した藤原氏／宿主の養分を吸い取る植物「藤(原)」／藤原という突然変異はどこから来たのか

第二章　謎に包まれた藤原氏の出自　71

出自のはっきりしない藤原氏／神話で大活躍する中臣氏

の祖神／歴史時代の中臣氏のさえない活躍／唐突に歴史に姿を現す中臣鎌足／なぜ『日本書紀』は藤原氏の過去を描かなかったのか／天武天皇と藤原氏の間に横たわるわだかまり／中臣鎌足は常陸国鹿嶋からやってきたという説／武甕槌神・経津主神の謎／中臣氏の祖神は東国から勧請された？／中臣氏が成り上がりだったという梅原説／枚岡神社と春日大社の奇妙な関係／ヤマトの中臣氏が物部氏の没落によって東国に進出したとする説／鎌足の出自を解明するには、第三の仮説が必要／『古語拾遺』の訴え／なぜ中臣氏は神道の伝統を無視したのか／なぜ中臣氏は神道と関わっていたのか／物部氏の正体／ヤマト建国に活躍した諸地域／不比等が神話に葬った出雲は実在した／物部氏は吉備からやってきた？／零落した物部氏の神を横取りした中臣氏／藤原不比等が黒作懸佩刀を持ち出したわけ

第三章　律令制度で日本のすべてを私物化した藤原氏　141

日本の律令を整備したのは藤原氏だった／部民制と屯倉

制／聖徳太子が先鞭を付けた律令制度／蘇我氏は律令潰しに走っていない？／大化改新の裏側／乙巳の変の原因は外交問題だった？／百済王豊璋と中臣鎌足の接点／白村江の戦いで姿をくらました中臣鎌足／『大織冠伝』の不思議な記述／中臣鎌足が豊璋であった証拠／百済王の中臣鎌足への贈り物／藤原千年の基礎を築いた藤原不比等／改革事業を潰しにかかった中臣鎌足／蘇我が作った律令／壬申の乱で豪族は没落していない？／天武天皇の目論見／なぜ天智の娘が天武朝で即位できたのか／天香具山の歌に秘められた暗示／神話に隠された持統の姿／天智系王家の復活／持統即位のきな臭い背景／高市と持統の蜜月／藤原が律令を制した意味

第四章　祟りにおびえる藤原氏　219

律令を悪用した藤原氏／藤原氏は独裁政治をめざしていなかった？／藤原氏を糾弾する『竹取物語』／藤原のための天皇に同情したかぐや姫／藤原に滅ぼされた長屋王／藤原の子・聖武天皇の豹変／藤原に殺された安積親

王／暴虐な藤原仲麻呂のふるまい／皇帝になった藤原仲麻呂／天皇家滅亡の危機を招いた藤原仲麻呂／静かな王朝交替／藤原に殺された井上内親王／ヤマトの祟りから逃れた桓武天皇／呪われた平安京／祟りによって藤原は馬脚を現した？／律令の理念の一角を崩した祟りの威力／平安王朝が空海や安倍晴明を求めたわけ

第五章　藤原氏と日本の官僚の根源　277

平安という暗黒時代／四家に分かれた藤原氏／藤原不比等の身勝手な法解釈／貴族になった藤原氏／自家以外の繁栄を拒んだ藤原氏／招婿婚と外戚の意味／藤原が仕組んだ政変／はめられた菅原道真／藤原摂関政治の本質／鎌足の墓をあばくのは不敬？／藤原氏はなぜ歴史書を好んで編纂したのか／日本史の本当のタブーは藤原氏を語ること

おわりに　310／文庫版あとがき　313
主要参考文献一覧　317

図版作成　アイブックコミュニケーションズ

藤原氏の正体

第一章　「積善の藤家」の謎

大化改新《たいかのかいしん》は本当に正義の改革だったのか

藤原氏といえば、中臣《なかとみの》（藤原）鎌足《かまたり》の名がすぐにあがるだろう。

中臣鎌足は西暦六四五年、乙巳《いつし》の変で、逆臣蘇我入鹿《そがのいるか》を討ち滅ぼしたと『日本書紀《にほんしょき》』にはあり、学校の授業でだれもが習う人物だ。大化改新で王政復古を果たした忠臣であり、「正義の味方」の印象が、強烈に焼き付いているはずである。

まったく関係のない話だが、かつて奈良で「大化改新堂の鹿《しか》のフン」なるチョコレート菓子が売られ、修学旅行のおみやげにもてはやされたものだ。抜群のネーミングであり、はじめてみたとき、感心しきりだったことを思い出す。中学生、高校生ならば「大化改新」を知らぬものはいない。奈良のイメージと結びつく。

それに、ここが大切なことなのだが、「大化改新」の響きに、悪いイメージはまったくない。

しかし、そもそも大化改新とは何だったのかと、あらためて問われれば、よほどの専門家でない限り、正確に答えることはできないだろう。

それにもかかわらず、なぜ我々は大化改新が輝かしい歴史の一ページであったと信じ切っているのだろうか。本当に大化改新は正義の改革だったのだろうか。

そこですこし、おさらいをしておこう。

目に余った蘇我氏の専横

七世紀のヤマト朝廷の都は飛鳥《あすか》周辺におかれていた。権力の中枢《ちゆうすう》にいたのは蘇我氏で、六世紀の蘇我稲目《いなめ》が急速に力をつけ、その子の蘇我馬子《うまこ》の代に天皇家の外戚《がいせき》という地位を利用し、盤石の体制を作り上げた。

蘇我馬子は蘇我系の推古《すいこ》女帝（母が蘇我の出）を担《かつ》ぎ上げ、同じく母が蘇我出身の聖徳太子を摂政《せつしよう》に押し立てて、完璧《かんぺき》な蘇我氏の全盛期を確立したのである。

馬子の死後頭角を現したのは、馬子の子・蝦夷《えみし》と、孫の入鹿である。

この時代の蘇我氏の専横について、『日本書紀』はおおよそ次のように記録している。

蘇我氏の増長が目に余り始めるのは、蘇我蝦夷の代、皇極《こうぎよく》元年（六四二）のことであったという。

この年の正月、皇極女帝は蘇我蝦夷を大臣として留任させたが、蝦夷の子の入鹿は、勝手に国政に参与し、その勢いは父親に勝るほどであったという。盗賊ですら、入鹿の威を恐れ、落とし物を拾おうともしなかった。また、蘇我蝦夷は葛城《かつらぎ》の高宮に祖廟《そびょう》を造り、八佾《やつら》の舞を行ったという。

祖廟も八佾の舞も、どちらも中国では皇帝にのみ許された特権であり、蘇我氏の増長が、だれの目にも明らかになっていた。

それだけではない。蘇我蝦夷と入鹿は豪族たちの私有民を使って二つの墓を造り、蝦夷の墓を大陵《おおみささぎ》、入鹿の墓を小陵《こみささぎ》と名づけたという。ここにいう「陵」とは、天皇の墓を意味している。そして、蘇我氏は、皇族の民を勝手に使役してしまった。つまり、蘇我氏は天皇の権威を無視し、王のように振る舞った、というのである。

そして、皇極二年（六四三）冬十月、蝦夷は病気を理由に朝廷に出仕しなくなった。しかも、本来なら天皇から授与される冠《かんむり》を密《ひそ》かに入鹿に授け、大臣の位になぞらえたという。

ここから入鹿が暴走する。

入鹿は蘇我系皇族の古人大兄皇子《ふるひとのおおえのみこ》の即位を画策した。しかしそのためには、聖徳太子の子・山背大兄王《やましろのおおえのみこ》がどうしても邪魔になった。そこで入鹿は山背大兄王を斑鳩宮《いかるがのみや》

■ 蘇我氏の系図 ■

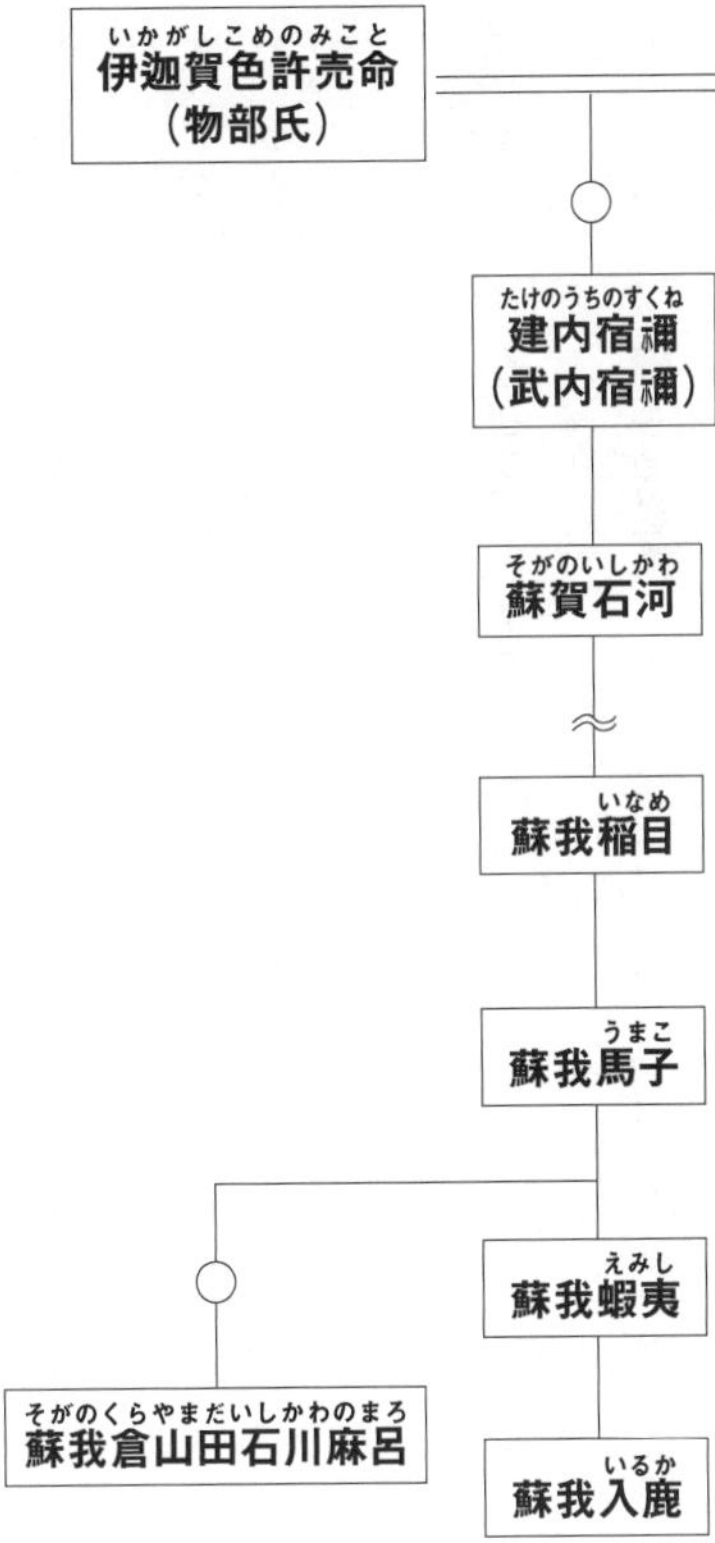
伊迦賀色許売命《いかがしこめのみこと》
(物部氏)
孝元《こうげん》天皇
建内宿禰《たけのうちのすくね》
(武内宿禰)
蘇賀石河《そがのいしかわ》
蘇我稲目《いなめ》
蘇我馬子《うまこ》
蘇我倉山田石川麻呂《そがのくらやまだいしかわのまろ》
蘇我蝦夷《えみし》
蘇我入鹿《いるか》

に襲い、一族（上宮王家《じょうぐうおうけ》）を滅亡に追い込んでしまった。ここに、聖者聖徳太子の末《まつ》裔《えい》は、完璧に抹殺《まっさつ》されたのである。

入鹿の暴走について、父親の蝦夷でさえ、

「ああ、なんということだ。入鹿ははなはだ愚かで、取り返しのつかない暴挙をしでかしてしまった。入鹿の命運も尽きたか」

と嘆いたという。

中臣鎌足と中大兄皇子《なかのおおえのみこ》の劇的な出会い

さて、上宮王家滅亡の翌年の皇極三年（六四四）正月。大化改新の主人公が、ここで『日本書紀』に登場してくる。中臣鎌足（この場面、『日本書紀』は、中臣鎌足ではなく、中臣鎌子《かまこ》の名にしてある。本書では混乱を避けるために、鎌足に統一しておく）を神祇伯《じんぎはく》に抜擢《ばってき》する、という記事が唐突に出現するのだ。ところが、鎌足は再三固辞し、病と称し、三嶋《みしま》（大阪府三島郡）に隠遁《いんとん》してしまう。

隠棲《いんせい》の理由は定かではない。第一、それまで無位無冠であった中臣鎌足が、なぜ神祇をつかさどる最高の地位に押し上げられようとしたのか、『日本書紀』は明確な記述を怠っている。

ただ、このののちの経緯から、鎌足が蘇我氏の専横に憤《いきどお》りを感じ、蘇我氏打倒のために共闘する相手の皇族を物色していたことがわかる。

中臣鎌足が三嶋に引っ込んだちょうどそのとき、皇極天皇の弟で、のちに孝徳《こうとく》天皇となる軽皇子《かるのみこ》が、やはり足の病で朝廷に出仕できないでいた。中臣鎌足はかねてより、軽皇子の英邁《えいまい》を見抜き、これに近づこうと思っていたから、この機会を見逃さず、軽皇子の元に身を寄せた。軽皇子も、鎌足の志の高さ、人物の大きさに驚き、寵妃《ちょうひ》を与えたほどであったという。

鎌足は周囲の舎人《とねり》に、

「殿下には過分な待遇を受け、ありがたいかぎりで言葉にならない。私は思うのです。軽皇子が天子様になられることを、だれが止められることでしょう、と」

と漏らした。舎人らは、この鎌足の言葉を軽皇子に伝えると、軽皇子は大いに喜んだという。

しかし、鎌足の本命は、軽皇子ではなく、舒明《じょめい》天皇と皇極天皇の子・中大兄皇子であった。

『日本書紀』はいう。

中臣鎌足は、蘇我入鹿が君臣の秩序を乱し、国を傾けようとしていることを憎んでいた。そこで皇族の中に分け入り、共に事を成す英傑を捜し求めていた。内心では、中大兄皇子にねらいを定めていたのだが、いまだに出会う機会がなかった……というのだ。

ところが、思わぬ形で僥倖《ぎょうこう》を得た。

飛鳥の中心、法興寺《ほうこうじ》（元興寺《がんごうじ》・飛鳥寺）の槻《つき》の木の下で打毬《うちまり》の会があり、中臣鎌足は、この輪のなかに加わった。中大兄皇子は毬をける拍子に、靴を落とし、すかさず中臣鎌足がこれを拾い上げ、跪《ひざまず》き、恭《うやうや》しく捧《ささ》げ挙げた。中大兄皇子も跪き、礼を用いてこれに応じた。

こうして二人は出会い、意気投合していく。包み隠さず心を開き、つねに行動をともにした。儒学を習うために南淵請安《みなぶちのしょうあん》のもとに通い、その道すがら、入鹿打倒の秘策を練った。だれにも怪しまれず、盗み聞きされないためだ。

中臣鎌足は、蘇我本宗家《ほんそうけ》を倒すために、他の蘇我一族のだれかを味方につけなければならない、と進言する。そこで、入鹿の従兄弟《いとこ》に当たる蘇我倉山田石川麻呂《くらやまだいしかわのまろ》に白羽の矢がたてられた。

蘇我倉山田石川麻呂の娘を中大兄皇子の妃にあてがい、のちに、入鹿暗殺の助《すけ》っ人《と》

■ 中臣鎌足と天皇家の関わり ■

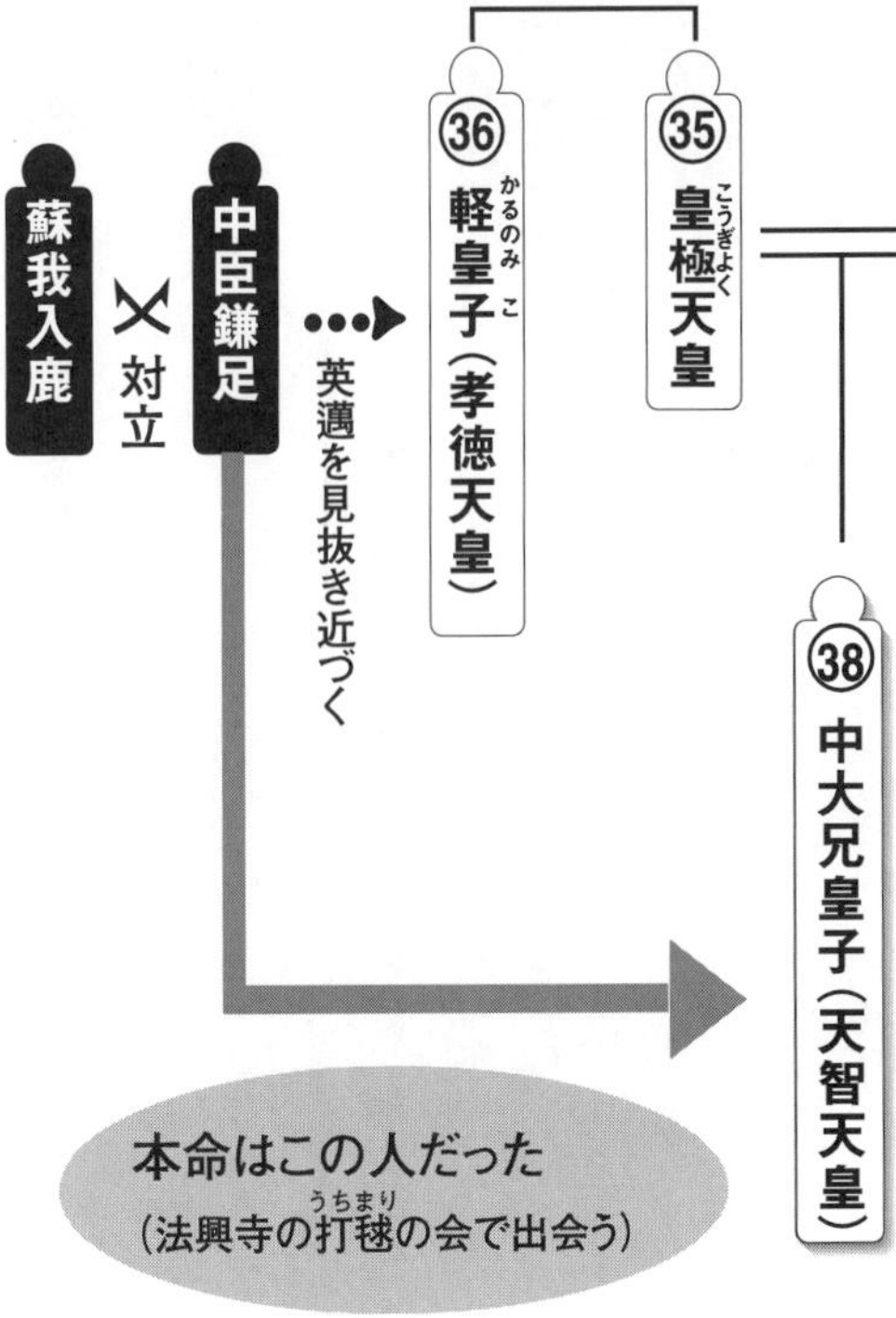

を頼もう、というのである。

こうして、着々と準備は進められた。

入鹿暗殺の顚末《てんまつ》

いっぽう、蘇我本宗家の専横も、いよいよ度を超してきた。

皇極三年（六四四）十一月。蘇我蝦夷・入鹿親子は、飛鳥の蘇我本宗家の拠点、甘《あま》樫丘《かしのおか》に館《やかた》を二棟新築した。蝦夷の館を「上《うえ》の宮門《みかど》」、入鹿の館を「谷《はざま》の宮門」と呼ばせた。また、子供たちを「王子《みこ》」と呼び、自らを王家になぞらえたのである。甘樫丘の周囲には柵《さく》がめぐらされ、城塞化《じようさい》され、身辺を東国の屈強の兵士らに守らせた、という。

こうして、皇極四年（六四五）六月十二日、運命の日を迎える。入鹿暗殺の絶好の機会が訪れたのだ。

この日飛鳥板蓋宮大極殿《いたぶきのみやだいごくでん》において、三韓《さんかん》の調《みつぎ》が奉《たてまつ》られることになっていた。ここにいう三韓とは、朝鮮半島の新羅《しらぎ》、百済《くだら》、高句麗《こうくり》の三国であり、各国の使者が、大極殿において、調進する。

大切な外交日程であり、入鹿は無防備なまま、御前《ごぜん》に姿を現すはずである。

中大兄皇子は蘇我倉山田石川麻呂に、素知らぬ顔で上表文《じょうひょうぶん》を読み上げるようにと指示した。身内の蘇我倉山田石川麻呂がいれば、入鹿も油断するだろう、という判断である。

中臣鎌足は、入鹿の人となりが疑い深く、つねに剣を手放さないことを知っていたので、俳優《わざおぎ》におどけさせて入鹿の剣を求めさせた。入鹿はまんまと計略に乗り、笑って手渡し、席に着いた。

蘇我倉山田石川麻呂が上表文を読み上げる。

中大兄皇子は門という門を閉め切り、大極殿と外界を遮断した。中大兄皇子はそうしておいて、自ら長槍《ながきほこ》を手に取り、大極殿の脇《わき》に身を隠した。中臣鎌足らは弓を持ち、援護する。佐伯連子麻呂《さえきのむらじこまろ》ら暗殺実行を委《ゆだ》ねられた者たちには、

「一気にやってしまえ」

と言い含めてある。彼らは剣を持ち身構えるが、佐伯連子麻呂は、食事が喉《のど》を通らない。仕方なく水を飯にかけて掻《か》き込んだが、恐怖のあまり、嘔吐《おうと》してしまう。それを見た中臣鎌足が彼を励ました（暗殺現場で腹ごしらえをする、という設定には無理があるが。それはともかく……）。

蘇我倉山田石川麻呂は、上表文が終わってしまうというのに、子麻呂らがなかなか飛び出してこないので、やきもきし出した。汗が噴き出し、声は震え、手がわななく。

蘇我倉山田石川麻呂の様子の変化を不審に思った入鹿が、

「なぜ震えているのだ」

と問いただすと、

「天皇の御前《おんまえ》近くに侍《はべ》り、恐縮しているのです。不覚にも汗をかいてしまいました」

と、取り繕った。

このとき、中大兄皇子は佐伯連子麻呂が入鹿の威に圧倒され怖《お》じ気付いているのを見かねて、

「やあ！」

と気合いを入れ、子麻呂と共に突進し、袈裟懸《けさが》けに斬《き》りつけたのである。入鹿が驚き立ち上がると、子麻呂が足に斬りつける。床に倒れた入鹿は、皇極女帝に救いを求めた。

「まさに、日嗣《ひつぎ》の位にましますべきは、天子様にございます。私がいったい何をしたというのでしょう。明らかにしていただきたい」

するると、皇極女帝は、

「私は何も知りません。これは何事ですか！」

と、息子・中大兄皇子を叱責《しっせき》する。

中大兄皇子は床に伏して言上する。

「蘇我入鹿は、天皇家を滅ぼし、天位を我がものにしようとしているのです。入鹿に皇位を奪われてよいはずがありません」

というのだ。

皇極女帝は言葉を失い、その場を去った。入鹿が斬り捨てられ、クーデターは成功したのである。

こののち甘樫丘は囲まれ、蘇我本宗家は滅び去った。

これがいわゆる乙巳の変の顚末であり、こののち皇極天皇は譲位し、軽皇子が即位。孝徳天皇が誕生する。そして、蘇我氏の専横によって足踏みしていた律令《りつりょう》制度の整備が、ここにはじまった（大化改新）、と『日本書紀』はいうのである。

こうして『日本書紀』の記述を見てくれば、中臣鎌足は蘇我本宗家の専横を阻止し、天皇家を中心とする政治運営を再興した、ということになろう。どう見ても、正義は中臣鎌足にあり、だからこそ、大化改新（乙巳の変）は、長く古代史最大の英雄物語として信じられてきたわけである。

腑《ふ》に落ちない『日本書紀』の分注

しかし、どうにも不可解な点がある。

例えば、入鹿暗殺直後の、古人大兄皇子の叫んだ一言である。すでに触れたが、古人大兄皇子は蘇我入鹿の後押しを得て、皇位を狙《ねら》っていた人物であり、こののち中大兄皇子と対立し、滅亡に追い込まれている。

入鹿暗殺直後、古人大兄皇子は自宅に駆け込んで、次のように叫んでいる。

韓人《からひと》、鞍作臣《くらつくりのおみ》を殺《ころ》しつ。（韓政《からひとのまつりごと》に因《よ》りて誅《つみ》せらるるを謂《い》ふ。）吾《わ》が心痛《こころいた》し。

これによると、「韓人」が蘇我入鹿を殺した。胸が張り裂けそうだ……、というのだ。そして『日本書紀』の分注（カッコ内）は、「韓人」について、「韓の人＝朝鮮半島からやってきた人」の意味ではなく、「韓政＝朝鮮半島をめぐる外交問題」が原因で殺されたのだ、と記しているのである。

この一節には、二つの問題がある。

まず第一に、仮に分注を無視し「韓人」を「韓の人」と解釈すると、これに該当する人物が見あたらない、ということである。飛鳥板蓋宮大極殿で入鹿が殺されたとき、実行犯の中に「韓人＝渡来人、あるいは渡来系豪族」は存在しない。

このため、「韓人」については、色々な解釈がある。

三韓の調進の場を利用しての暗殺劇だから、「韓人のために……」と暗示的に記した、とする考え。また、三韓の使者は、そもそも偽者《にせもの》で、中大兄皇子らとともに入鹿に襲いかかったのではないか、などといった考え方がある。

しかし、どれもすっきりした答えになっていない。

いったい「韓人」とは何を意味しているのだろう。なぜ古人大兄皇子は、入鹿を殺したのが「韓人」だったと叫んだのか。仮にそれが、『日本書紀』編者の創作だとしたら、なぜ古人大兄皇子に、謎《なぞ》めいた言葉を語らせたのだろう。

また、分注の「韓政」を重視するならば、蘇我入鹿暗殺は、蘇我本宗家の専横が原因だったのではなく、中大兄皇子と蘇我本宗家の外交姿勢の隔たりが事件の根源に隠されていたことになる。

乙巳の変の入鹿暗殺にいたる道のりは、明快な勧善懲悪《かんぜんちょうあく》の物語に仕上がっている。

それにもかかわらず、なぜ入鹿の死後に、不可解な謎を『日本書紀』の編者は用意し

■『日本書紀』の不可解な謎■

蘇我入鹿暗殺直後、古人大兄皇子は自宅に
駆け込んで次のように叫んだ。

**「韓人、鞍作臣を殺しつ。
（韓政に因りて誅せらるるを謂ふ。）吾が心痛し」**

[略意]

「韓人」が蘇我入鹿を殺した。胸が張り裂けそうだ……

【分注】（カッコ内）

韓の人という意味ではなく、韓政（外交問題）で殺された

第1の謎

もし韓の人でないなら ——

- 「韓人」のためと暗示
- そもそも偽者で中大兄皇子の仲間だった

第2の謎

**なぜ古人大兄皇子《ふるひとのおおえのみこ》に
謎めいたセリフを語らせたのか？**

↓

明確な答えなし

たのであろう。

どうにも腑に落ちない。

崩れ去る常識

一見瑣末《さまつ》にも思える「韓人」に気を止めるのは、乙巳の変の主人公、中大兄皇子、中臣鎌足、皇極天皇三人それぞれのその後の人生に、数奇な運命が待ちかまえているからである。そして、その様子をみるにつけ、これまで頑《かたく》なに信じられてきた中大兄皇子や中臣鎌足＝「正義」、蘇我入鹿＝「悪」という『日本書紀』の描いた図式と、それを信じ切っていた我々の「常識」が、もろくも崩れ去ってくるからなのである。

例えば中大兄皇子は、蘇我入鹿暗殺後、たびたび民衆の反感を買い、罵声《ばせい》を浴びている。

なぜ天下国家のために命をかけ喝采《かっさい》を浴びたはずの中大兄皇子が、民百姓から嫌われてしまったのだろう。

このあたりの事情を、少し説明しよう。

蘇我入鹿暗殺直後、皇極天皇は譲位の意志を固めた。息子の中大兄皇子に即位を促したのである。だが、中臣鎌足はこれを制止する。

「あなた様には、古人大兄皇子という兄（舒明天皇と蘇我系の女人から生まれた）、そして軽皇子（孝徳天皇）という叔父がおられます。もしこの状態で即位されましたら、年下の者としての道を外すことになりましょう。ですから、しばらく叔父の軽皇子を押し立てて、人々（民）の望みを叶《かな》えた方が得策にございます」

この進言を受けて、中大兄皇子は即位を断念する。

こうして、孝徳天皇は誕生した。

なぜこのとき中大兄皇子は即位を先延ばしにしたのかといえば、一般には、次のように考えられている。すなわち、皇太子という地位にいることで、自由な活動ができる道を選んだ、というのだ。名よりも実をとった事になる。

だが、これは本当だろうか。

孝徳天皇と中大兄皇子は、こののちたびたび衝突を繰り返し、結局二人は決定的な破局を迎えるのである。中大兄皇子は孝徳天皇から正妃や官人らを引きはがし、孤立させてしまうのである。

つまり、当時皇太子の地位にいるからといって、自由に政権を動かせるとは限らなかった証拠であり、また、中臣鎌足の、「民の望みはむしろ軽皇子の即位にある」という発言を重ねたとき、中大兄皇子の立場というものが、微妙であった疑いがでてくるのである。

ここでいう「微妙」とは、中大兄皇子に対する民衆の期待度が、我々の想像しているような代物《しろもの》ではなかったのではないか、という疑いである。

不審火に包まれる中大兄皇子の宮

なぜそういえるのかといえば、乙巳の変の直後から、中大兄皇子の住む宮は、たびたび不審火に包まれていたからである。そして同時に、中大兄皇子に対する人々の不満が爆発しているからなのである。

歴代天皇を見渡しても、これだけ「火事」と縁のある人物はいない。

大化三年（六四七）十二月には、

「是《こ》の日に、皇太子《ひつぎのみこ》の宮《みや》に災《ひつ》けり。時《とき》の人《ひと》、大《おほ》きに驚《おどろ》き怪《あやし》む」

人々が怪しんだとあえて『日本書紀』が記したのは、この火事が「失火」ではなかったからであろう。

また、斉明《さいめい》元年（六五五）是の冬の条、斉明二年（六五六）是の歳《とし》には、それぞれ、

「飛鳥板蓋宮《あすかのいたぶきのみや》に災《ひつ》けり」

「岡本宮《をかもとのみや》に災《ひつ》けり」

とあり、中大兄皇子が実質的な権力を握った段階で宮が燃えたことは、注意を要する。

さらに、天智《てんじ》六年（六六七）三月。中大兄皇子は大和から都を近江《おうみ》に遷《うつ》すが、このとき人々は不満を爆発させ、いたるところで火災が起きていた、と記録されている。

天智八年（六六九）十二月には、「大蔵《おほくら》に災けり」と、天智天皇の政権の中枢《ちゅうすう》に、不可解な火の手も上がっている。

なぜ中大兄皇子（天智天皇）に限って、これほどまでの「火事」がつきまとうのであろう。

非難されていた中大兄皇子

ところで、中大兄皇子に対する民衆の反発には、一つの頂点がある。

それは、日本史上最大の国家存亡の危機、白村江《はくそんこう》の戦いの前後である。

このあたりの事情を、詳しくみてみよう。

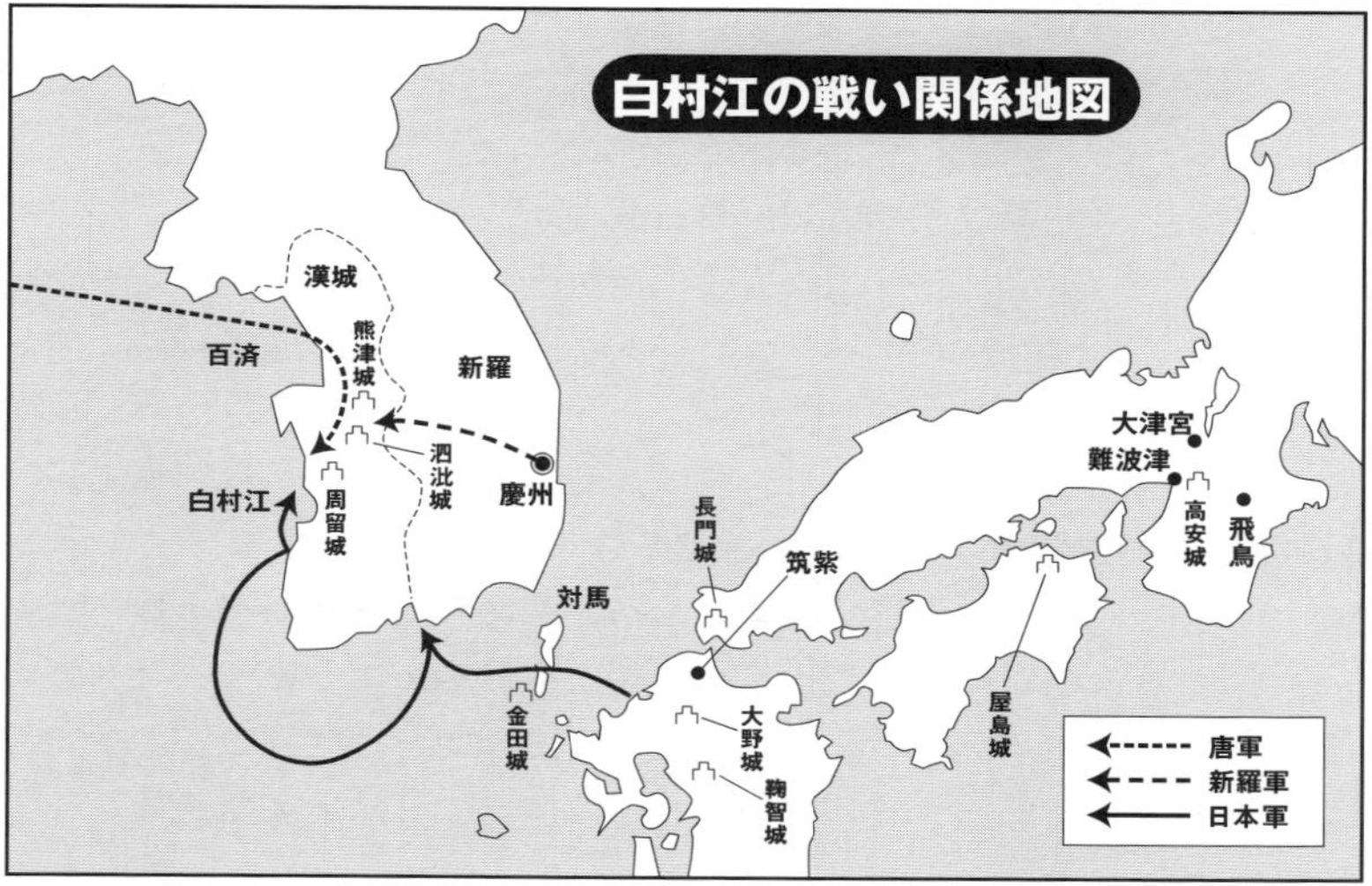
白村江の戦い関係地図
漢城
百済
熊津城
新羅
泗沘城
慶州
周留城
白村江
対馬
金田城
長門城
筑紫
大野城
鞠智城
屋島城
大津宮
難波津
高安城
飛鳥
唐軍
新羅軍
日本軍

孝徳天皇の崩御《ほうぎょ》を受けて、中大兄皇子の母（皇極天皇）が重祚《ちょうそ》、斉明天皇が登場する。

何を思ったか、斉明天皇は、飛鳥周辺で、盛大に土木工事に励んだ。飛鳥の天香具山《あまのかぐやま》の西側から石上山《いそのかみ》（奈良県天理市）に至る長大な水路を掘り、舟二百艘《そう》をもって、石上山の石を積んで、宮の東の山に石を重ね、垣とした。ちなみに、この工事が現実に行われていた可能性は高くなっている。飛鳥の東側の丘陵地帯から、大量の石を積み上げた垣のあとと、新亀石《かめいし》が発見された（酒船石《さかふねいし》遺跡）ことは、記憶に新しい。

『日本書紀』は、この工事に対する人々の反応を「狂心《たぶれごころ》の渠《みぞ》」という言葉を用いて記録している。「尋常な行為ではない」と罵《ののし》った、というのである。

「石の山を造っても、自然と崩れ去るにちがいない」

と、言い放ったという。先述した斉明二年（六五六）の岡本宮の火災は、このような囂々《ごうごう》たる非難のさなかに起きたものだ。

この土木工事が、斉明朝に行われていたから、人々が斉明天皇を罵倒《ばとう》したかのように思われているが、そうではあるまい。このときすでに、実権は中大兄皇子と中臣鎌足に移っていたはずだからである。

このあと、斉明天皇は孫の建皇子《たけるのみこ》の死を悼《いた》み、悲嘆に暮れている。斉明四年（六五八）五月と同年十月に、それぞれ三首ずつ、建皇子を偲《しの》ぶ歌を詠《うた》っている。その様は政治家のそれではなく、母であり祖母である手弱女《たおやめ》としての姿である。乙巳の変の入鹿暗殺場面で、子の中大兄皇子に叱責《しっせき》されて返す言葉を失った皇極天皇の姿を重ねれば、女帝の弱い立場がみえてくる。事実、建皇子の死につづき孝徳天皇の御子の有間皇子《ありまのみこ》が謀反《むほん》を起こすと、中大兄皇子はこれを独断でもって裁断している。

では、なぜ中大兄皇子が飛鳥の東側に、「狂心の渠」を造ったかといえば、それは酔狂ではなく、しっかりとした軍事目的があったと考えられる。すなわちそれは、中大兄皇子の目論む百済遠征への準備であり、遠征中に飛鳥で不穏な事態が生じたときのための布石にほかなるまい。

民衆が不満を爆発させたのも、中大兄皇子のめざす百済救援を無謀と判断していたからであろう。

斉明六年（六六〇）、いよいよ遠征というそのとき、駿河国《するがのくに》で船を造らせ難波《なにわ》に曳航《えいこう》させたところ、理由もなく、船の艫《とも》と舳先《へさき》が逆さまになってしまった、という。これをみた人々は、

■ 窮地に陥る中大兄皇子 ■

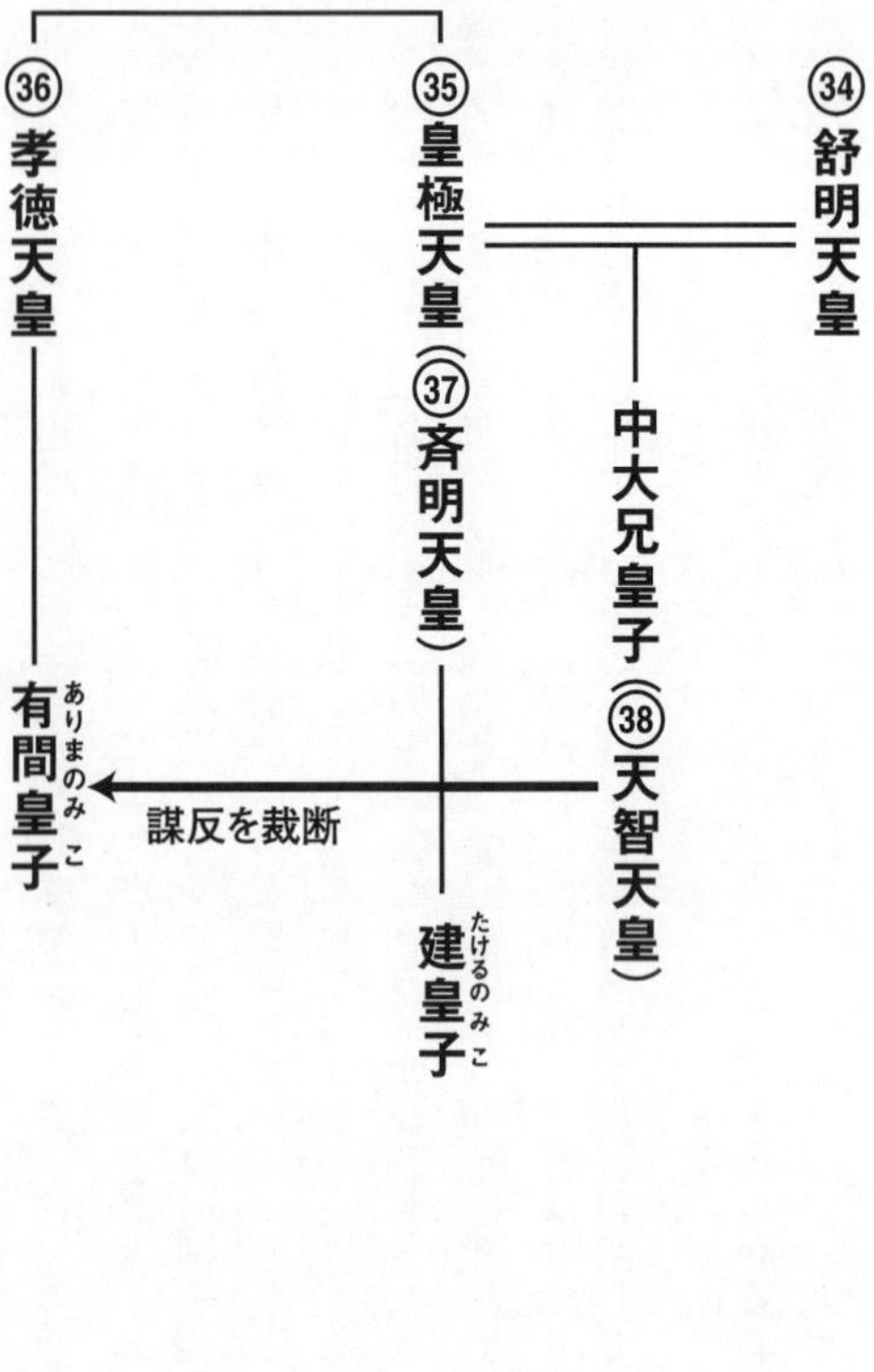
㉞舒明天皇
㉟皇極天皇（㊲斉明天皇）
㊱孝徳天皇
中大兄皇子（㊳天智天皇）
有間皇子《ありまのみこ》
建皇子《たけるのみこ》
謀反を裁断

衆《ひとびと》終《つひ》に敗《やぶ》れむことを知《さと》りぬ。

と、ヤマト朝廷の遠征は失敗するであろうと噂《うわさ》しあったという。

民衆の判断は的確であった。

ヤマト朝廷軍は、白村江の会戦で、唐《とう》と新羅の連合軍の前に、完膚無きまで叩《たた》きのめされ、百済は滅亡した。そして、唐の大軍が日本列島に押し寄せるかもしれないという、悪夢のシナリオが予想されたのである。中大兄皇子は必死に、西日本各地に城郭を築いた。

唐が百済滅亡後、せめる矛先《ほこさき》を日本ではなく、「まず高句麗」、と判断したことで、かろうじて日本は救われた。高句麗滅亡後、新羅が唐に反旗を翻《ひるがえ》し、唐はヤマト朝廷に対し、懐柔策を採ってきたのである。

天智六年（六六七）三月、九死に一生を得た中大兄皇子は、都を近江に遷す。

是《こ》の時《とき》に、天下《あめのした》の百姓《おほみたから》、都遷すことを願《ねが》はずして、諷《そ》へ諫《あざむ》く者多《ものおほ》し。童謡亦衆《わざうたまたおほ》し。日日夜夜《ひるよる》、失火《みづながれ》の処多《ところおほ》し。

つまり、遷都には反対論が根強く、民衆は各地で暴徒と化したようである。

このような中大兄皇子（天智天皇）に対する反発は、畢竟《ひつきよう》中大兄皇子の示した強烈なまでの百済救援政策に起因しているのであって、乙巳の変の際に古人大兄皇子が漏らした、「入鹿が韓人に殺された！」に対する分注「入鹿が韓政＝朝鮮半島をめぐる政策の行き違いによって殺された」の一節に、重大な関心を示さずにはいられないのである。

ここで指摘しておかなくてはならないのは、要するに、『日本書紀』のいうような蘇我氏の専横、これに対する中大兄皇子、中臣鎌足の正義の戦いこそが乙巳の変（大化改新）であったという常識を、まず疑ってかかる必要がある、ということである。

そして、このことは、中臣鎌足の不可解な死ともかかわりを持ってくる。

中臣鎌足を襲った祟《たた》り

天智八年（六六九）冬十月の十日から十六日にかけて、『日本書紀』は中臣鎌足の死に至る事情を、次のように説明している。

十日、天智天皇は、中臣鎌足（『日本書紀』には藤原内大臣《うちつおおおみ》とある）の家に行幸《ぎようこう》し、病に伏せった中臣鎌足を見舞っている。十五日には東宮大皇弟《ひつぎのみこ》（大海人皇子《おおあまのみこ》）が見舞い、この時、中臣鎌足に大織冠《たいしょっかん》と大臣の位が授けられ、姓を藤原と改めたという。そして翌日、藤原鎌足は薨去《こうきょ》したのである。

不思議なのは、中臣鎌足の死が唐突にやってきたことである。同年五月、天智天皇は山科野《やましなのの》に狩りに出かけ、中臣鎌足はこれに従い、元気な姿を見せていた、とある。

問題は、鎌足の死の直前、「是の秋」の条に、奇妙な記事が載せられていることである。

藤原内大臣《ふぢはらのうちつまへつきみ》の家《いへ》に霹靂《かむとけ》せり。

すなわち、中臣鎌足の館《やかた》に落雷があった、というのである。

一豪族の館に落雷のあったことを、一国の正史がわざわざ取り上げたのにはわけがある。「落雷」とは、古来祟りの象徴だったのである。

したがって、中臣鎌足の発病が尋常ならざる原因によっていたことを、落雷記事は暗示していたことになる。

落雷をいかに人々が恐れていたかは、菅原道真《すがわらのみちざね》の祟る姿を見れば明らかであろう。

平安時代中期、菅原道真は文人でありながら政治家として頭角を現し、藤原氏に疎《うと》まれ、陰謀によって延喜元年《えんぎ》（九〇一）、大宰府《だざいふ》に左遷《させん》させられてしまう。菅原道真は、延喜三年（九〇三）に太宰府で憤死し、のちに、平安京に祟りの恐怖をもたらす。延長《えんちょう》八年（九三〇）、平安京では、日照りがつづいたため雨乞《あまご》いをしたところ、都の北西に黒雲が湧《わ》き起こった。ところが、黒雲は見る見るうちに平安京を覆《おお》い、宮中の清涼殿《せいりょうでん》に雷を落とし、菅原道真追い落としに関わった者たちが、次々と亡《な》くなっていった。このため、菅原道真の祟りにちがいないと喧伝《けんでん》され、大騒ぎになったのだ。

なぜ雷が祟りと考えられたのかについては、後ほどふたたび触れるとして、ここで強調しておきたいのは、乙巳の変の立役者で、他人様《ひとさま》に恨まれるような行為をしたことがないはずの中臣鎌足が、祟りで死んでいったという一点である。

『日本書紀』は、件《くだん》の落雷が祟りであったとはっきり書いているわけではない。しかし、乙巳の変の入鹿暗殺現場にいた中臣鎌足のみならず、斉明（皇極）女帝までもが、晩年祟りに悩まされていたとなれば、これらの現象を捨て置くわけにはいかないだろう。

斉明天皇につきまとう鬼

『日本書紀』斉明元年（六五五）五月の条には、竜に乗り青い笠《かさ》をかぶった男が、空を飛んでいたとある。そして、斉明七年（六六一）五月、百済遠征のために九州に行《あん》宮《ぐう》を作ったときの話に、次のようなものがある。

朝倉　橘　広庭宮《あさくらのたちばなのひろにわのみや》を造るに際し、朝倉社（福岡県朝倉市、麻氏良《までら》布《め》神社）の木を伐《き》り、これを材木にしたところ、神の怒りに触れ落雷があり、宮が壊されてしまったという。さらに、宮中に鬼火（人魂）が現れ、舎人《とねり》や近侍《きんじ》のものが病に臥《ふ》し、多くの者が亡くなったという。

それだけではない。二ヶ月後に斉明天皇も亡くなり、葬儀を執り行ったところ、朝倉山の上から鬼が大きな笠をかぶってその様子をみていたという。

これは斉明天皇が祟られた記録である。

『日本書紀』は斉明天皇の周囲でばたばた人が死んでいった理由を朝倉社の木を伐ったからとするが、『扶《ふ》桑略記《そうりゃっき》』は、斉明天皇の周辺で次々に人が死んでいった原因は、豊浦大臣《とゆらのおおきみ》の霊魂の仕業だったというのである。

ここにいう豊浦大臣を、『日本書紀』は蘇我蝦夷《えみし》といい、『先代旧事本紀《せんだいくじほんぎ》』は蘇我入鹿《か》《いる》のことだという。いずれにせよ、乙巳の変で滅亡した蘇我本宗家の恨みが、鬼の形をして斉明天皇を苦しめたことになる。

ヤマトから遠く離れた信州善光寺《ぜんこうじ》には、斉明天皇にまつわる奇怪な伝承が残されている。

それによれば、善光寺は信濃《しなの》の国の人・本田善光《よしみつ》が難波（大阪）の堀で得た金銅像阿弥陀《あみだ》三尊像を生地に持ち帰り、一寺を建立《こんりゅう》したのがはじまりで、皇極元年（六四二）、勅願によって現地に遷座《せんざ》し、白雉《はくち》五年（六五四）には諸堂が整備されたといわれる。

いっぽう、斉明天皇は崩御後、閻魔《えんま》法王の裁きを受け、斉明天皇は罪深い者だから、地獄に落とす、と言い渡されたのだという。この時、観世音菩薩《かんぜおんぼさつ》でさえ、「自業自得《じごうじとく》だから」と見放し、地獄に堕《お》ちた斉明天皇は生まれ変わって、善光の子善佐《よしすけ》になったというのである。

もちろんこれは、後世、話に尾ひれが付き、広まった数々の伝承のなかのひとつにちがいない。

しかし、問題は、斉明天皇のみならず、乙巳の変にかかわった者三人に限って、なぜこのような怨念《おんねん》に満ちた伝承がそろっているのか、ということなのである。

乙巳の変には、これまで語られてこなかった秘密が隠されているのではあるまいか。そして、今まで信じられてきた中臣鎌足＝正義という常識に、大きな疑念が芽生えるのである。

積善《せきぜん》の藤家《とうけ》の謎《なぞ》

藤原氏とはいったい何者なのか。

興味深いのは、「積善の藤家」という言葉である。これは、善行を積む藤原氏、という意味で、良い行いをして、仏の御加護を願ったものだ。この言葉を刻んだ方印を藤原不比等《ふひと》の娘で聖武《しょうむ》天皇の皇后であった光明子《こうみょうし》が東大寺正倉院《しょうそういん》に収める書類に捺印《なついん》していたのである。

「積善の藤家」は、光明子だけではなく、意外な人物ともかかわりを持っている。『日本書紀』天智八年（六六九）十月の条に、次のような一節がある。

藤原氏の始祖・中臣鎌足の死の直前、鎌足の病床を見舞った天智天皇が、

「天の道理が仁者《じんしゃ》を助けることは嘘《うそ》ではない。善行を積めば（積善）余慶《よけい》があるのだ

から、鎌足が天に助けられないはずがない」

というのである。

積善の藤家の端緒は、あるいはこの中臣鎌足を励ます天智天皇の言葉にあったのだろうか。

もっともこの言葉が、天智の口からじっさいにでたのか、知るよしもない。おそらくは、八世紀の段階で、『日本書紀』の編者が脚色したものであろう。そして、この日本で最初の正史『日本書紀』は、のちに触れるように、藤原不比等のつよい影響力の元で記されたのであるから、光明子のみならず、藤原氏自身が、「積善の藤家」を、つよく意識していた可能性はつよい。

たしかに、光明子は、限りない慈悲を、人々に与えたらしい。そのようすを、『続《しょく》日本紀《にほんぎ》』天平宝字《てんぴょうほうじ》四年（七六〇）六月七日の条は、次のように語っている。

光明子は藤原不比等と県犬養三千代《あがたのいぬかいのみちよ》の娘で、「幼《をさな》くして聡慧《そうくゑい》にして、早《はや》く声誉《せいよ》を播《し》けり」、つまり、子供の時から聡明の誉れ高く、聖武の皇太子時代に妃となった。時に歳《とし》は十六、多くの人に接し、喜びを尽くし、あつく仏道に帰依《きえ》した。光明子の人となりは、慈《いつく》しみ深く、よく恵み、人々を救済することを志した。東大寺と国分寺《こくぶんじ》の創建は、そもそも光明子が聖武天皇に勧めたものであった。また、悲田《ひでん》・施薬《せやく》の両院を設立し、飢えた人、病んだ人々を救った、というのである。

じっさい、光明子自らしい病（ハンセン病）患者を風呂《ふろ》に入れ、洗ったという伝説を持つ「から風呂」が、法華寺《ほっけ》（法華滅罪之寺《めつざいのてら》）に残される（創建当時の部材を今に伝えるという）。

このような『続日本紀』の記事を素直に受け入れてもいいのだろうか。権力者藤原氏が、自家の美談を誇張し、正史に押し込んだ可能性もある。

光明子は手弱女《たおやめ》ではない。藤原氏の没落を救い、権力拡大に一肌脱いだ女人である。正倉院に残る「藤三娘《とうさんじょう》」の力強い書体から察して、男性的な強さを想像させる、いわば鉄の女人であり、そのような人物が、はたして、本気で「罪滅ぼし」のために、らい病患者を風呂に入れ、手ずからその肌に触れたであろうか。

なるほど、中臣鎌足の蘇我入鹿征伐（乙巳の変）、光明子の悲田院・施薬院は、百姓《おおみたから》の喝采《かっさい》を浴びたかもしれない。特に、中臣鎌足の業績こそが、天皇家の窮状を救ったのである。中臣鎌足が古代史の英雄であることは、あらためて述べるまでもない。また、光明子の悲田・施薬院は暗黒の天平政争史に咲いた一輪の無垢《むく》な花である。これらは「積善」と呼ぶにふさわしい功績かもしれない。

だが、「積善の藤家」というフレーズを与えられ、また自称した中臣鎌足と光明子の間に、奇妙で暗示に満ちた共通項のあることを、見逃すことはできない。

それは何かといえば、「落雷」である。

正史の落雷記事と「積善の藤家」の因果

正史に記録された落雷記事は、何かしらのかたちで祟りと因果を持っている。

しかも、正史における落雷記事の例は少なく、数少ない中の二例が、中臣鎌足と光明子にかかわっていることも、忘れてはなるまい。

天智八年（六六九）是《こ》の秋の条の、中臣鎌足邸への落雷については、先にふれた。この直後、それまで元気に過ごしていた中臣鎌足が、病の床に伏せ、急死してしまうのである。先にあげた天智天皇の、「積善」の二文字を挙げて中臣鎌足を励ます言葉は、まさにこのときに発せられたものなのである。

いっぽう、光明子の場合はどうであろう。夫聖武天皇在位中の出来事である。『続日本紀』天平二年（七三〇）六月二十九日の条には、落雷があって、平城京の神祇官《じんぎかん》の役所に火災が発生したこと、そして、人や家畜がばたばたと死んだ、とある。

この事件に、朝廷は敏感に反応している。

翌閏《うるう》六月十七日、落雷の被害を受けて朝廷は、新田部親王《にいたべのみこ》に占いをさせ、使いを諸国に遣わし、各地の神社で祭事を執り行ったのだという。

落雷で人が死ぬ、などという事件は、今も昔も、そうめずらしいことではあるまい。それにもかかわらず、全国に使いを出し、神を祀《まつ》らせたという大騒ぎになってしまったのはなぜだろう。

それはもちろん、雷が「祟《たた》る神」と考えられていたからであり、しかも、その雷が、神祇官の役所に落ち、それだけにとどまらず、多くの都人が亡くなったから、問題となったのである。

祟りにおびえる藤原氏

ここで改めて、「落雷」の意味を問い直しておかなければならない。

太古以来、日本人は、神を敬い、神の怒りを鎮《しず》めつづけてきた。

日本人にとっての神とは、恵みをもたらす「正」の面と、災いをもたらす「負」の両面を共有した存在だった。何となれば、神は万物に宿り、つまりは自然そのものであり、自然は人々に豊穣《ほうじょう》と災いをもたらしたからである。いわゆるアニミズム信仰の名残が、古代日本人の精神世界を彩《いろど》っていたのである。

当然、水（雨）の神としての雷は、稲の豊作をもたらす良い面と、災いをもたらす恐ろしい神、という二つの面を持ち合わせていたことになる。

ヤマトを代表する雷の神は三輪山《みわやま》（大神神社《おおみわ》）の大物主神《おおものぬしのかみ》で、この神は第十代崇神《すじん》天皇の時代、祟り神として恐れられたものだ。

人々が干魃《かんばつ》に苦しめられ、疫病《えきびょう》の流行でばたばた死んでいったのは、大物主神の「御心《みこころ》」であったという。朝廷は、大物主神を手厚く祀ることで、平安を取り戻したのである。

このように、ヤマト朝廷にとって、「雷」はなによりも恐ろしい祟りそのものだったのである。

とするならば、天平二年の落雷を正史『続日本紀』が取り上げたことにも、何かしらの意味が隠されていたと見るべきであろう。

しかも、当時の朝廷には、「思い当たるふし」があったのである。

落雷事件の前年の二月。藤原氏は、政敵・長屋王《ながやおう》を罠《わな》にはめて、一族を滅亡に追い込んでいる。このあたりの事情はのちにもう一度触れるが、事件は、正史『続日本紀』もあっさり認めざるをえないほどの、明らかな冤罪《えんざい》であった。

そしてこのように、長屋王を追いつめた藤原氏だからこそ、雷を長屋王の祟りと信じたにちがいないのだ。

長屋王の祟りは、人口に膾炙《かいしゃ》した話であったらしい。

中世の仏教説話集『日本霊異記《りょういき》』は、次のように語る。

長屋親王《しんのう》（長屋王）一家の遺骸《いがい》は焼かれ、骨は川に散らされ、海に捨てられた。ただ、長屋親王の骨だけは、土佐《とさ》（高知県）に流された。ところが、土佐の百姓に異変が起き、ばたばたと死んでいった。百姓たちはたまらず「親王の気によって国中の百姓が死に絶えてしまいます」と、役所に訴え出た。そのありさまを聞いた天皇（聖武）は、紀伊《きい》国の海部《あま》郡の沖の島に骨を移させた、というのである。

もちろん、長屋王が祟ったと、『続日本紀』が記録したわけではない。しかし、「雷」の記事こそが、祟りの暗示であった。事実こののち、藤原氏に前代未聞の災難が降りかかるのである。そのあたりの事情ものちに触れるが、この時、我が世の春を謳歌《おうか》していた藤原氏が、祟りの恐怖に震撼《しんかん》したことは間違いなく、二つの祟る「雷」と共に、「積善の藤家」がしきりに喧伝《けんでん》された因果をどう捉《とら》えればいいのだろう。

「滅罪」こそが藤原氏の「善行」だった?

積善の藤家を唱えた光明子の「善行」を象徴するのは、奈良県奈良市法華寺中町の法華滅罪之寺である。

今は奈良市街から西方の、やや鄙《ひな》びたのどかな立地だが、かつては平城京左京一条三坊と、平城京のほぼ中心に位置していた。それもそのはず、この寺は、平城京遷都《せんと》の立役者で藤原氏繁栄の基礎を築いた、藤原不比等の邸宅あとである。

天平十七年(七四五)、藤原不比等の娘で聖武天皇の皇后であった光明子が皇后宮を宮寺にしたのがはじまりで、その後、次第に整備されていったとされている。

また、法華滅罪之寺は、全国に建立《こんりゅう》された国分尼寺《こくぶんにじ》の総本山で、よって、総国分尼寺とも称される。

ちなみに、奈良の大仏さんで知られる東大寺は、総国分寺で、光明子の夫、聖武天皇の発願《ほつがん》で建立されたものである。

不可解なのは、その立地条件とネーミングではなかろうか。

なぜ、光明子は、平城京の一等地、藤原氏の権力の象徴である藤原不比等の邸宅あ

■「積善の藤家」とは？■

中臣鎌足邸に落雷 ➡ 鎌足の急死

神祇官の役所に落雷 ➡ 政敵長屋王《ながやおう》抹殺の祟りか！

前代未聞の災難が降りかかる

↓

祟りにおびえる藤原氏

卍 法華滅罪之寺《ほつけめつざいのてら》の建立

↓

「善行を積み、罪滅ぼしをするので
どうか祟りをお鎮めください」という
願い

とを、寺にしてしまったのか。しかもその寺の名は、「滅罪之寺」＝「罪滅ぼしの寺」なのである。

天平時代は、藤原氏の権勢が一気に開花した時代である。

光明子の夫、聖武天皇は、そんな藤原氏待望の「藤原の子」であった。

藤原不比等は、持統《じとう》天皇に見出《みいだ》され、めきめきと頭角を現し、持統天皇の孫、文武《もんむ》天皇に娘の宮子《みやこ》を入内《じゅだい》させることに成功する。宮子の産んだ御子が首皇子《おびとのみこ》（のちの聖武天皇）で、不比等はこの首皇子に、やはり娘の光明子をあてがったわけである。

こうして即位したのが聖武天皇であり、絵に描いたような「藤原の天皇」であった。聖武天皇の即位によって、藤原氏の政権内の基盤は着実なものになったわけである。

つまり、聖武天皇と光明子は、藤原権力に守られた、藤原氏の象徴だったことになる。その藤原権力の先頭に立つ女人、光明子が、なぜ「滅罪」と銘打った寺を、藤原不比等の邸宅あとに建てたのであろう。

どうやら、中臣鎌足から藤原不比等にいたる藤原氏草創期の活躍には、歴史から抹《まっ》殺《さつ》された暗部が存在するようである。

藤原氏のいう「積善」とは、要するに「滅罪」であり、

「善行を積み罪滅ぼしをしますから、どうか祟りをお鎮め下さい」

■ 天皇家と藤原氏の深いつながりの系譜図 ■

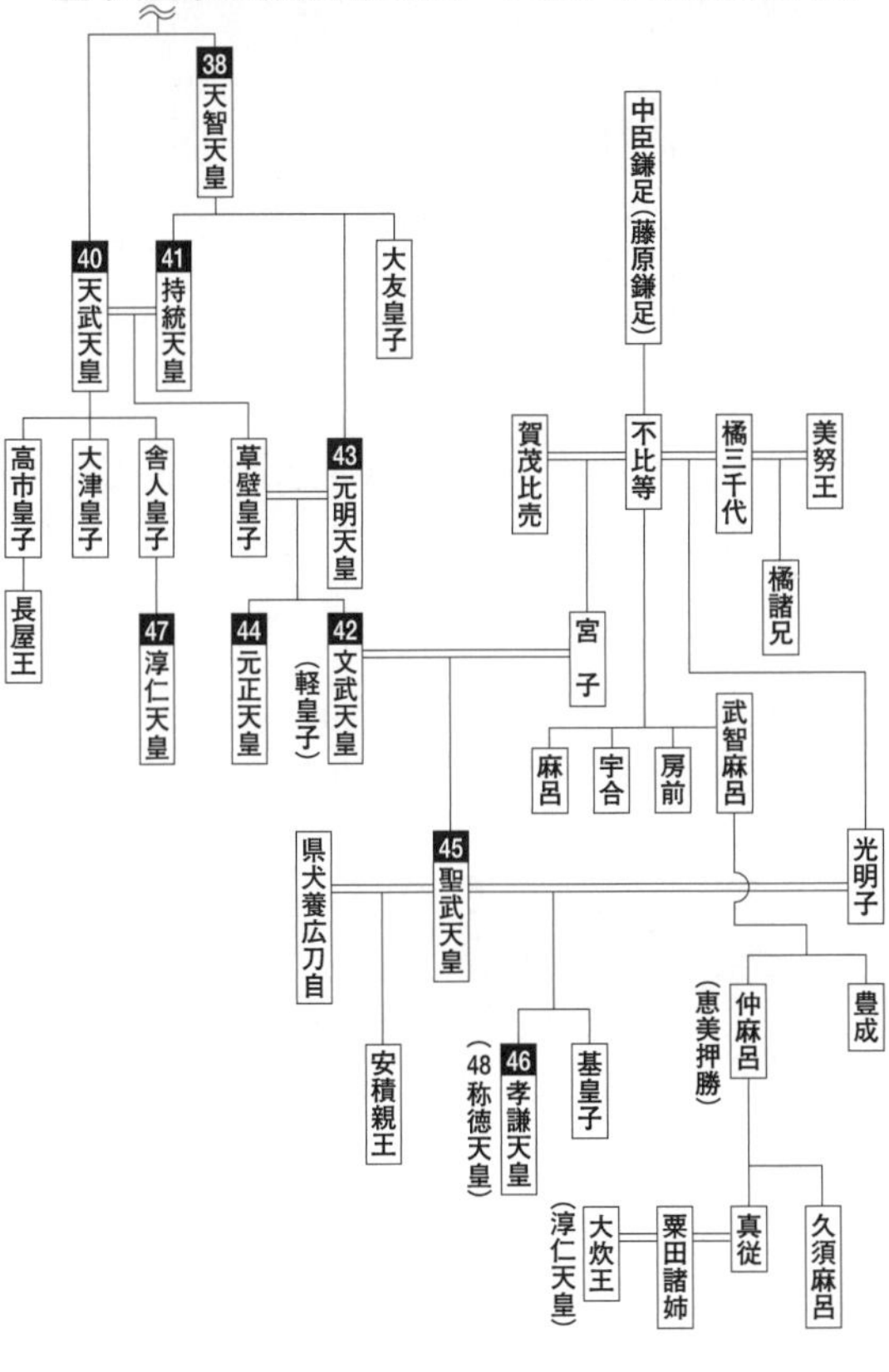
38 天智天皇
40 天武天皇
41 持統天皇
大友皇子
中臣鎌足（藤原鎌足）
高市皇子
大津皇子
舎人皇子
草壁皇子
43 元明天皇
賀茂比売
不比等
橘三千代
美努王
長屋王
47 淳仁天皇
44 元正天皇
42 文武天皇
（軽皇子）
宮子
橘諸兄
麻呂
宇合
房前
武智麻呂
県犬養広刀自
45 聖武天皇
光明子
安積親王
46 孝謙天皇
（48 称徳天皇）
基皇子
仲麻呂
（恵美押勝）
豊成
大炊王
（淳仁天皇）
粟田諸姉
真従
久須麻呂

という虫のいい願いにすぎなかったのではあるまいか。

実際、藤原氏の繁栄に対する怨嗟《えんさ》の声は、平安時代、多くの文書の中で噴出している。我々は、正史『日本書紀』に描かれた英雄・中臣鎌足の姿に眩惑《げんわく》され、これまで藤原氏の真の姿というものを見誤ってきたのではあるまいか。

現代日本の閨閥《けいばつ》を牛耳る藤原氏

『日本書紀』は、蘇我入鹿こそが、天皇家をないがしろにした、という。しかし、中臣鎌足が天皇家のために身を粉にしたかというと、大きな疑問符がつきまとう。

藤原氏は中臣鎌足以来、つねに日本の頂点に君臨しつづけた。しかもそれは、一貫して、「天皇家のため」ではなく、自家の繁栄のためだったように思えてならない。

それは、この一族の生まれつきの習性であったようにも思えるのだ。

その習性、伝統は、古代から近代、現代にいたっても、まったく変わっていないのである。そして、藤原氏にとって「天皇」とは、自家の繁栄を継続するための道具にすぎなかったのではなかったか。

じっさい、現代に至っても、藤原氏は「天皇にもっとも近い一族」という立場を利用し、目に見えない閨閥を作り上げてしまっているのである。

そこでこのあたりの事情を、現代史に焦点を移してすこし説明しよう。

太平洋戦争の戦前戦中、三度《みたび》総理大臣の座に就いた近衛文麿《このえふみまろ》は、昭和天皇に政務を上奏《じょうそう》するとき、椅子《いす》に座り、足を組んだままで、涼しい顔をしていたという。

もちろん周囲の顰蹙《ひんしゅく》を買ったが、このような不謹慎が許されたのにはわけがある。近衛氏が藤原五摂家《ごせっけ》の筆頭だったからにほかならない。

五摂家は七世紀の大物政治家・藤原不比等の四人の男子、武智麻呂《むちまろ》、房前《ふささき》、宇合《うまかい》、麻呂《まろ》のなかの、房前の末裔《まつえい》、藤原北家《ほっけ》が五つの家に別れ（近衛、九条、二条、一条、鷹司《たかつかさ》）、平安時代以来、明治にいたるまで、代々摂政と関白を輩出《はいしゅつ》する一族として、貴族社会の頂点に君臨してきたのである。

これは余談ながら、藤原五摂家の末裔は、現代社会にも、大きな影響力をもっている。

例えば、近衛文麿は戦時中、陸軍の暴走をおさえようと東条英機《とうじょうひでき》暗殺計画を練り、これを「大化改新」になぞらえ、悦に入っていたという。計画は未遂に終わったが、藤原の末裔であることを、文麿はつよく意識していたわけである。

この近衛文麿の祖父・忠凞《ただひろ》は左大臣として朝廷の頂点にあって公武《こうぶ》合体《がったい》を推進した

人物だった。この忠煕の夫人は島津藩主の娘で、さらに忠煕の子・篤麿《あつまろ》の夫人は加賀藩前田家の女人と、近衛家は当時の有力氏族との間に、さかんに門閥を形成していたのである。

文麿の夫人は豊後佐伯《ぶんごさいき》藩主家の千代子で、千代子との間の二女・温子《よしこ》が細川護貞《もりさだ》に嫁いだ。細川は、熊本藩主の流れであり、細川ガラシャで名高い。護貞と温子の間に生まれた子が、元首相・細川護熙《もりひろ》で、さらにその弟の護輝《もりてる》が、近衛家に養子に入っている。

このように、近衛家の織りなした閨閥は、旧華族を中心にくり広げられ、華麗なる一族を形成する。

藤原氏の末裔氏族の中で、近衛家以上に幅広い閨閥を作り上げたのは、西園寺《さいおんじ》家である。

西園寺家は五摂家の一ランク下の清華家《せいがけ》に当たる。それにもかかわらず西園寺家が名を馳《は》せたのは、公望《きんもち》の活躍に負うところが大きい。

西園寺公望は勤王公卿《くぎょう》として華々しくデビューし、その後自由民権運動を展開、さらには、最後の元老として名高く、軍部の暴走、ファシズム化に最後まで抵抗した人物として知られる。

■ 現代まで続く藤原五摂家の系譜 ■

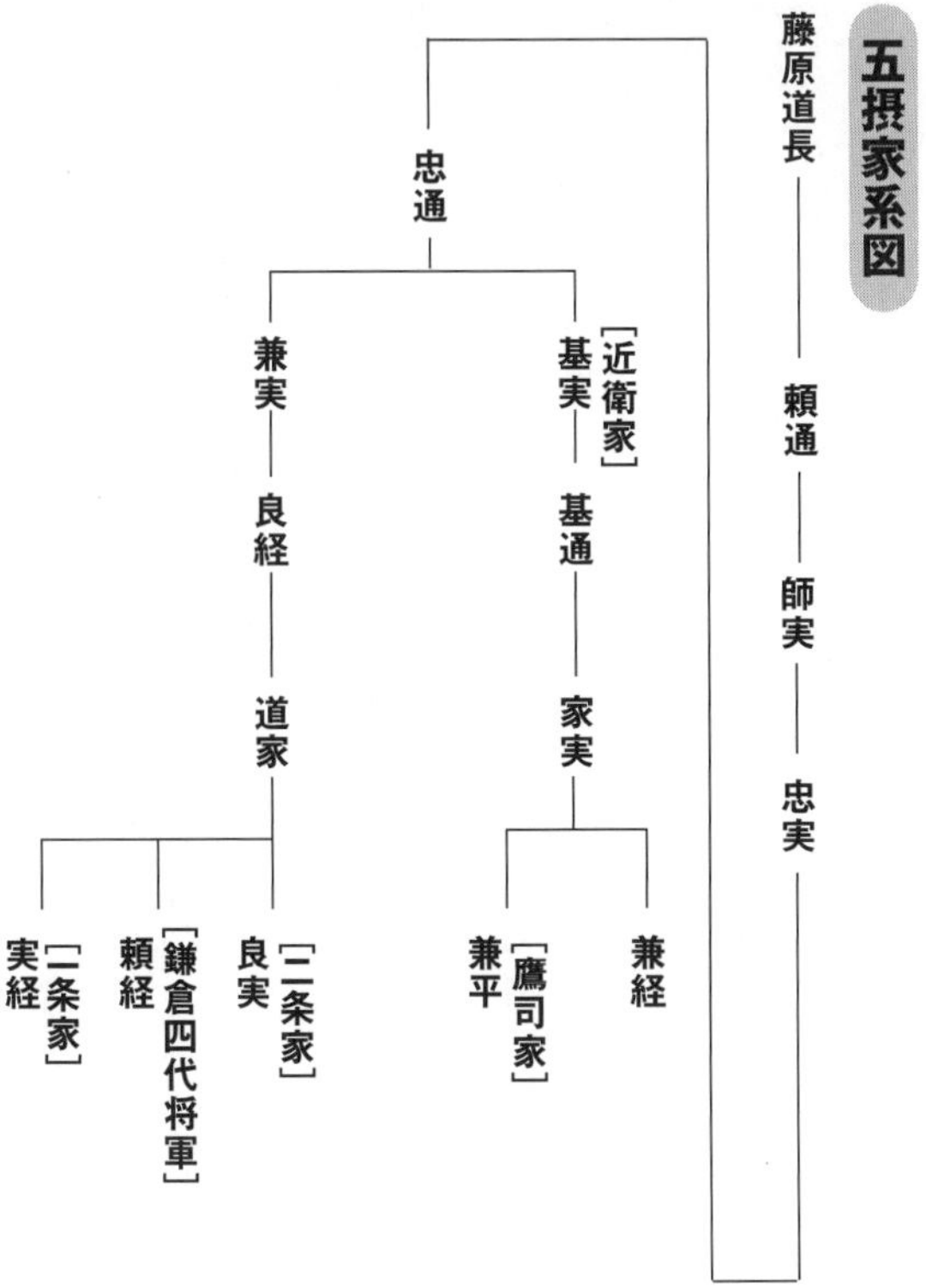

西園寺公望には一人娘の新《しん》がいて、毛利《もうり》家の八郎が婿入《むこい》りした。二人の間に六人の子が生まれ、西園寺家の閨閥を形づくっていくこととなる。代表的なのは二女春子が住友財閥家に嫁いだもので、それ以前、住友家は徳大寺家とも姻戚《いんせき》関係を結んでおり、藤原の血をつよく引き入れたのである。この住友財閥家と西園寺の間の子たちが広く閨閥を形成していき、

西園寺家はまさに、我が国の代表的支配階層の家系を横断的に網羅している（『門閥』佐藤朝泰　立風書房）

というほどの、強固な網の目を、現代社会に張り巡らしていったのである。

昭和天皇の前で足を組んだ近衛文麿

それにしても、藤原氏という存在は、いかにして古代から現代にいたるまで、日本のエスタブリッシュメントの地位を占めつづけてこられたのであろう。

彼らの「権威・権力」は、天皇に女《むすめ》を入れ、皇后とすることによって保たれてきた

ものだ。奈良時代よりこのかた、皇后のほとんどは藤原系に牛耳られ、天皇家の血は、藤原で塗りつぶされたといっても過言ではないほどなのである。したがって、近衛文麿の胸中に、「天皇」は「藤原の子」に過ぎないという意識がなかったといえば嘘《うそ》になろう。

じっさい、「天皇」は、藤原氏の権勢を保持するための道具であった時代が、長く続いたのだ。

ちなみに、なぜ権力を持たない「天皇」が政争の道具になり得たかといえば、八世紀に整備された律令《りつりよう》という法制度の元で、「天皇」から超法規的な命令を引き出すことによって（正確には引き出すのではなく、言わせるのだが）、政敵を倒すことができたからである。

すなわち藤原氏にとって、法治国家にありながら、法を曲解、無視することのできる魔法が、「天皇」の存在だったわけである。

その魔法の杖《つえ》を支配するための手段が、「姻戚」である。

「この世をば我が世とぞ思ふ望月《もちづき》の……」と詠《うた》った道長は、娘の三人を皇后にすることに成功している。皇后の生んだ子がもっとも有力な皇位継承候補になるのであって、その皇子たちを、藤原は「我が子」として飼い慣らしていったのである。そして、藤原氏の意に背く天皇は強引に退位させられた。こうしておけば、藤原権力は安泰である。

このように、奈良時代から平安時代にかけて、藤原氏は律令（法律）と天皇を支配することに奔走《ほんそう》した。律令を自家の都合のいいように解釈し、それでもだめなら、「天皇の命令」という魔法を用意し、朝堂を独占したのである。

近衛文麿は、こういう歴史を背負っていたからこそ、昭和天皇の前で足を組んだのであろう。

多くの皇族を殺害した藤原氏

天皇家をないがしろにした一族といえば、蘇我氏の名がすぐに挙がるだろう。しかし、皇族を殺《あや》めた数、という点に関していうならば、藤原氏の右に出るものはいない。長屋王、安積親王《あさかしんのう》、井上内親王《いのうえないしんのう》などなど、正史が認めたもの、認めていないものも含めて、藤原氏は邪魔になった皇族を、いとも簡単に闇《やみ》に葬《ほうむ》り去っている。

幕末の孝明《こうめい》天皇の死にも、不審な点がある。

第一二一代孝明天皇（在位一八四六～六六）は、若手公家《くげ》たちが倒幕運動に走る中、公武合体を推し進めようとしていた。京都守護職の松平容保《かたもり》、一橋慶喜《ひとつばしよしのぶ》（第十五代将軍・徳川慶喜）らと手を組んで長州藩らの尊王攘夷《そんのうじょうい》派集団を排斥し、その直後に病死する。

この死には暗殺説が根強く、例えば平凡社の『世界大百科事典5』（一九八四年初版）は、

この年疱瘡《ほうそう》を病み逝去。病状が回復しつつあったときの急死のため毒殺の可能性が高い。（羽賀祥二）

と指摘しているほどである。

あえて百科事典の記述を引用したのは、それほどまでに、暗殺説が定着している、ということの証《あかし》だからである。

宮中の密室殺人。

しかもその密室は、「藤原」の「自宅」のような場所であった。なぜなら、近世の公家は、そのほとんどが藤原系だからだ。すなわち、この暗殺事件には、「藤原」が大きく関《かか》わっていなければなしえないのである。

このように、「天皇」は、長い間、「藤原」の「私物」であった。

天皇をいかに操ろうが、藤原の勝手だったのである。近衛文麿の不遜《ふそん》も、その根源は、藤原の歴史の中に隠されているのである。

近代にいたっても、藤原による天皇家支配は続いた。

明治天皇、大正天皇の皇后は、ことごとく藤原氏の女人であり、昭和天皇の皇后も藤原の血を引いていたから、「藤原による皇室支配」は、近代にも引き継がれたのである。

したがって、今上《きんじょう》天皇が「藤原」とは無縁の美智子妃を選ばれたとき、藤原氏の末裔は少なからず衝撃を受けたはずである。美智子妃が宮中でさんざん嫌がらせを受けたという話は、ワイドショー的であまり詮索《せんさく》はしたくないが、その理由も、「藤原と天皇家」の歴史を念頭におかなければ、理解できるものではない。

その点、今上天皇のご行動は、ご本人が意図的に選択されたかどうかは別として、歴史的な意味をもっていたのであって、また、多くの妨害があったであろう中での英断は、たたえられるべきものなのである。

宿主の養分を吸い取る植物「藤（原）」

なぜ藤原氏は、千年にわたって権力に執着し、そして、権力の座に座りつづけることができたのであろう。

名は体を表すというが、まさに藤原氏の場合はこの慣用句がぴったりと当てはまる。藤原氏の名の中にある「フジ」の特性が、藤原氏の性格を暗示しているからだ。

フジはマメ化の植物で落葉低木、日本固有種である。日本各地にひろく分布し、「荒妙《あらたえ》の藤」と『万葉集』に詠《うた》われたように、繊維は丈夫で粗めの布としても利用された。

「フジ＝不時」の連想から、忌《い》み嫌われ、またいっぽうで、藤の花の垂れ下がる様が実った稲穂に似ているために、豊作を暗示すると重宝がられ、神聖視されもした。農作業が開始される陰暦四月（卯月《うづき》）八日に豊作を祈り山からつみ取られ庭先に飾る天《てん》道花《とうばな》のなかの一つにかぞえられた。

しかし一方で、藤は、残酷な一面をのぞかせる。

右巻きの蔓《つる》を伸ばし、他の植物に寄生し、養分を吸い取って成長する。寄宿した植物を次第に締め付け、枯らすこともある。

まさに、藤原氏の歴史は「フジ」そのものと言っていい。のちに詳述するように、この一族は朝廷に巣を作り天皇家の権威を利用し、領土を拡大した。

『大鏡《おおかがみ》』には、「フジ」をめぐる次のような話がある。

中臣鎌足が「藤原」の姓を天智天皇から賜ったときのこと、紀氏《きの》が、次のように述べて嘆いたという。

「藤かゝりぬる木は、かれぬるものなり。いまぞ紀氏はうせなんずる」とぞのたまひけるに、まことにこそしかはべれ。

つまり、藤のとりついた木は枯れてしまうものだ。とすれば、紀氏は衰亡するだろう、と紀氏がいった。本当にその通りだ、というのである。

藤原という突然変異はどこから来たのか

それにしても、「藤原」は古代社会にあって異端児であり、突然変異によって生まれたようなところがある。なぜならば、七世紀までのヤマト朝廷は、「合議」「共存」を尊重する政権だったからである。

ところが、藤原氏の出現によって、このような伝統は、一気にくつがえされてしまうのである。

そこですこし、このあたりの経緯について説明しておこう。

三世紀半ばから後半に成立したヤマト朝廷は、地方豪族の総意によって誕生した。このことは、近年の考古学の進展によって、次第に明らかにされたことだ。

三世紀初頭。ヤマト三輪山の山麓《さんろく》に、かつて見たこともないような規模の、政治的、宗教的な集落が出現する。

それが纏向《まきむく》遺跡で、ほぼ同時に、ヤマトに初期段階の前方後円墳が出現（纏向型前方後円墳）する。

纏向遺跡には、吉備《きび》、出雲《いずも》、北陸、東海の土器が集まった。わずかだが、北部九州の土器もみられる。西日本から東日本の西側にいたる広大な地域が、ヤマトで一つの潮流を産み始めたのだ。それまでてんでんばらばらに覇を競っていたものが、ヤマトの地で融合していくのである。

つよい大王家（天皇）のシンボルと考えられていた巨大な前方後円墳も、じっさいには、大王家の脆弱《ぜいじゃく》さを証明する代物《しろもの》だった。というのも、三世紀半ばから後半にかけて完成する前方後円墳とは、吉備、出雲、北部九州、ヤマトの埋葬文化を一つにまとめた代物だったからである（これを定型化した前方後円墳という）。すなわちヤマト朝廷は、つよい王がうち立てたものではなく、地方豪族の「あいまいな同盟関係」によって成立したわけである。

そして四世紀になると、九州南部から東北南部にいたる一帯まで、このヤマトの象徴・前方後円墳を受け入れていくのである。これはヤマトの征服事業ではなく、緩やかな支配体制が確立したことを意味しよう。

こうしてヤマト朝廷の政務は合議によって運営され、独裁者を忌み嫌うという慣習を作り上げていった。大王でさえ共立され、実権を持っていたとは考えられない。たとえば、七世紀の蘇我氏も合議を尊重していたことは、すでに指摘されていることで、一般に信じられているような独裁者であったかどうか、じつに怪しいとされている。

なぜヤマト朝廷を支配する諸豪族が、合議を尊重したのかといえば、それは、この国を根強く支配しつづけた多神教、アニミズムの影響によるものであろうし、なぜアニミズム的発想が日本列島で守られたかといえば、それは、四方を海に囲まれ、他民

■「合議」「共存」を覆した藤原氏■

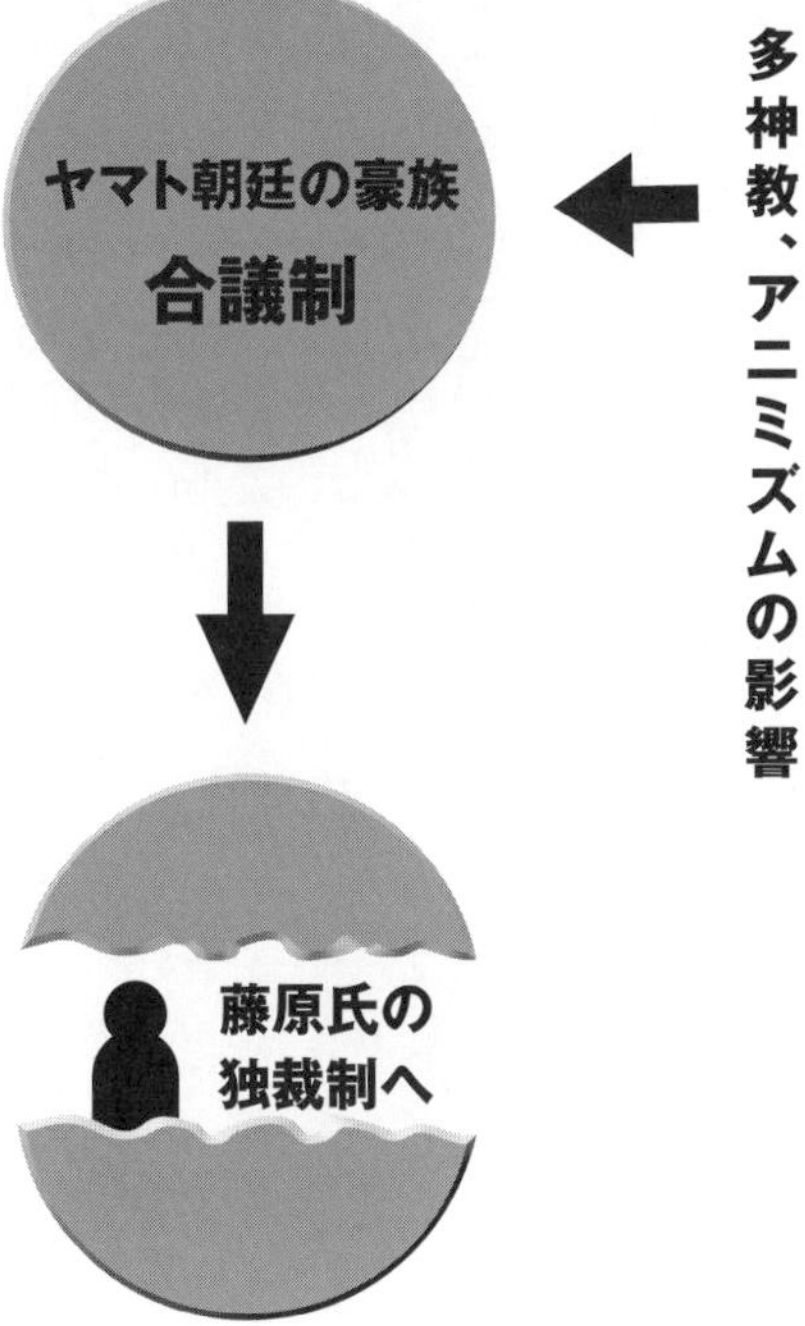

族による侵略から守られたからにほかなるまい。多神教と対極的な位置にある一神教は、民族同士の闘争の歴史から育《はぐく》まれてきた宗教観なのである。

このようなヤマト朝廷の伝統を、根底から覆《くつがえ》したのが藤原氏であった。藤原氏は権力の中枢《ちゆうすう》にのぼりつめると、独裁権力を握ったまま、他の豪族を圧倒した。「共存」がヤマト朝廷の伝統であったのに、この暗黙の了解を無視し、他の豪族が伸長してくると、見逃さず潰《つぶ》しにかかった。

とすれば、藤原氏は「共存」を重んじるヤマトの豪族の中で異端児なのであって、この突然変異ともいいうる一族が、なぜ七世紀、唐突に出現し、その後千年にわたって日本を支配することができたのであろう。

そこでいよいよ、藤原氏の正体を探って行かねばならない。

問題は、中臣鎌足の出自であり、なぜ中臣鎌足が、蘇我入鹿を殺さなければならなかったのか、ということなのである。

そこで次章では、中臣鎌足の正体について、考えてみたい。

第二章　謎に包まれた藤原氏の出自

出自のはっきりしない藤原氏

藤原氏最大の謎は、日本でもっとも高貴な一族でありながら、いまだに出自がはっきりしていない、ということである。

少し歴史に詳しいかたなら、『日本書紀』の神話に中臣《なかとみ》氏の祖神が登場するのだから出自は明白ではないか、と思われるかもしれない。

しかし、中臣氏の出自は、本当のところよくわかっていないのである。

そこで中臣氏の出自について考えてみたい。

さて、中臣氏の始祖は、神話の中に見出《みいだ》すことができる。『日本書紀』神代《かみのよの》上《かみのまき》第七段本文には、天照大神《あまてらすおおみかみ》の天の岩屋戸《いわやど》神話があり、そこで中臣氏の祖神が大活躍をしている。

話の経緯はこうだ。

伊弉諾尊《いざなぎのみこと》と伊弉冉尊《いざなみのみこと》は天照大神と素戔嗚尊《すさのおのみこと》を産んだ。天照大神は光り輝いていたので、天上《てんじょう》（高天原《たかまのはら》）に送り、いっぽうの素戔嗚尊は、乱暴者で手がつけられなかったので、根の国（黄泉《よみ》の国）に追放する。だが、根の国に去る前に、姉に一度会ってお

■天岩戸と中臣氏との関わり■

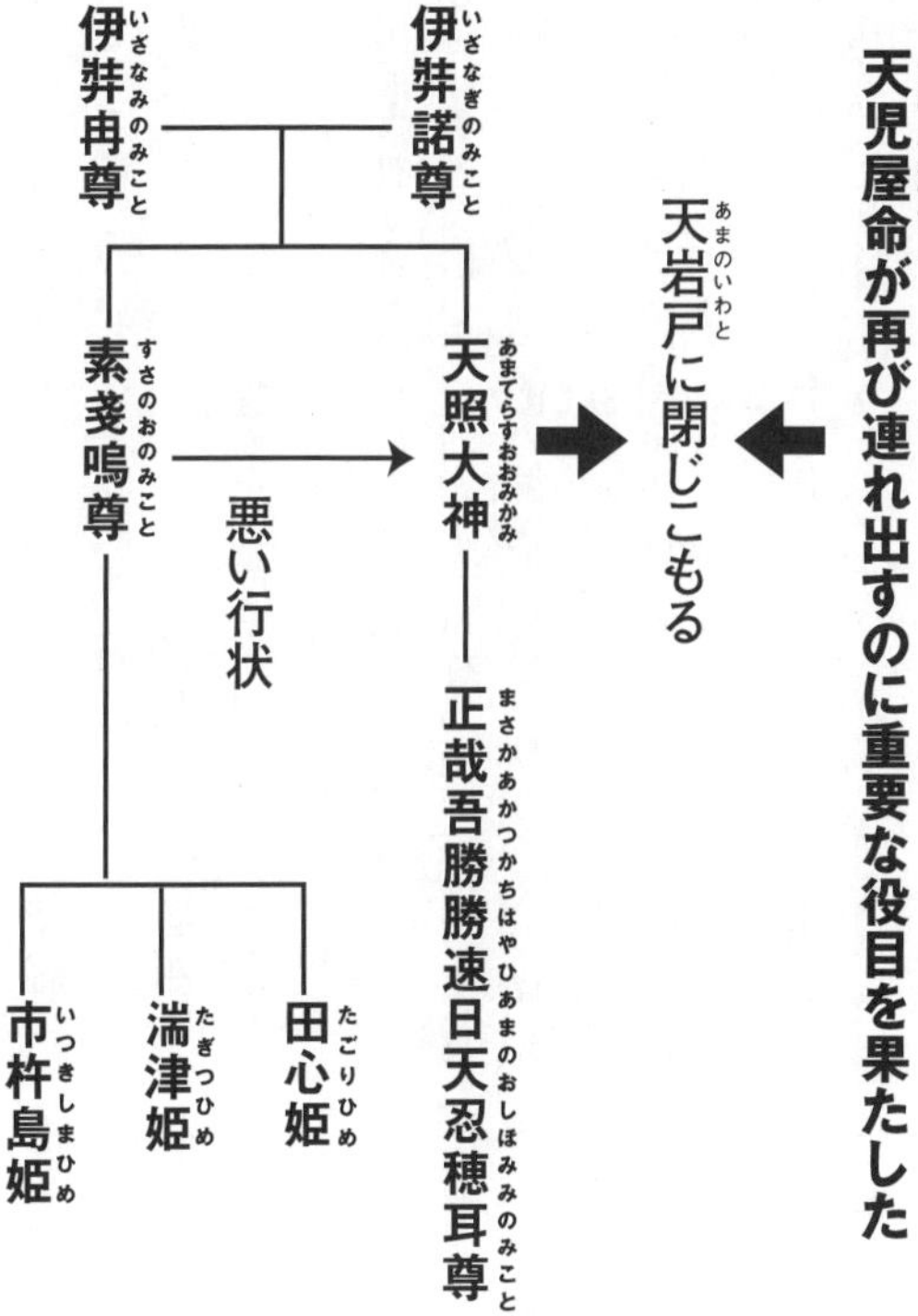

きたいという素戔嗚尊の願いは許された。ところが、素戔嗚尊は天に昇っていくと、おどろおどろしい大音声《だいおんじょう》を発した。それを聞きつけた天照大神は、素戔嗚尊が高天原を奪おうとしているにちがいないと判断する。

男装をして素戔嗚尊を迎え撃とうとする天照大神。これに対し、素戔嗚尊は弁明をする。自分に下心のないこと、誓約《うけい》をして子を産み、素戔嗚尊が女子を産めば清き心の証明になる、という。

はたして、天照大神が素戔嗚尊の十握《とつか》の剣を取って天の真名井《まない》に濯《そそ》ぎ、剣を嚙《か》み、井の水を吹き付けると、田心姫《たごりひめ》・湍津姫《たぎつひめ》・市杵島姫《いつきしまひめ》（宗像三女神《むなかたさんにょしん》）が産まれた。素戔嗚尊は天照大神の八坂瓊《やさかに》の五百箇《いおつ》の御統《みすまる》をもらい受け、天の真名井に濯ぎ、嚙んで、井の水を吹きかけると、正哉吾勝勝速日天忍穂耳尊《まさかあかつかちはやひあまのおしほみみのみこと》ら、男性の神が産まれた。

これで素戔嗚尊の潔白は証明されたが、高天原における素戔嗚尊の行状ははなはだ悪かった。

春には田に重播種子《しきまき》（種を重ねて蒔《ま》くこと）をし、収穫の秋になると、馬を放って田を荒らした。天照大神が新嘗《にいなめ》の祭事を行っている宮に糞《くそ》をし、神衣《かむみそ》を織っているところに、馬の皮を投げ込んだ。

天照大神は驚いた拍子に怪我《けが》をし、怒り狂い、そのまま天石窟《あまのいわや》（天の岩戸）に入り、磐戸《いわと》を閉じ、なかに籠《こ》もってしまった。

国中まっ暗になり（常闇《とこやみ》）、昼と夜の区別がつかなくなってしまった。

八十万神《やおよろずのかみ》たちが天安河辺《あまのやすのかわら》に集《つど》い、方策を練った。思兼神《おもいかねのかみ》は常世《とこよ》の長鳴鳥《ながなきどり》を集めて鳴かせてみた。また、手力雄神《たぢからおのかみ》を磐戸の脇《わき》に立たせ、中臣連《むらじ》の遠祖・天児屋命《あまのこやねのみこと》、忌部《いんべの》連《むらじ》の遠祖・太玉命《ふとたまのみこと》が天香具山《あまのかぐやま》の五百箇の真坂樹《まさかき》（榊）を掘り出し、その上枝には八坂瓊の五百箇の御統を掛け、中枝には八咫鏡《やたかがみ》を、下枝には青和幣《あおにきて》、白和幣《しろにきて》を掛け、みなで祈禱《きとう》した。また、猨女君《さるめのきみ》の遠祖・天鈿女命《あまのうずめのみこと》は手に茅纏《ちまき》の矛《ほこ》を持ち、天石窟戸《あまのいわやと》の前に立ち、踊った。そして、天香具山の真坂樹を持って鬘《かずら》（頭に飾る）にし、蘿《ひかげ》（さがりごけ）の蔓《つる》を襷《たすき》にし、火を焚《た》き、桶《おけ》を伏せてその上で踊り狂った。

天照大神は不審に思った。

「私が岩窟《いわや》に籠もったのだから、豊葦原中国《とよあしはらのなかつくに》は、かならず闇夜のはずなのに、なぜ天鈿女命は楽しそうに踊り狂っているのだろう」

そういって、ためしにと、磐戸《いわと》をそっと開けてみた。

そのとき、待ちかまえていた手力雄神が、天照大神の手を取り、天石窟から引きずり出したのである。

ここで、中臣神・忌部神が、端出之縄《しりくめなわ》（注連縄《しめなわ》）を引き渡し、

「もう二度と中に戻られますな」

と告げたのである。

こうして天照大神は天石窟から外に出て、諸々《もろもろ》の神は、素戔嗚尊の罪を糾弾したという。捧《ささ》げものを要求し、髪を抜き、手足の爪《つめ》をはぎとり、高天原から追放してしまったのである。

神話で大活躍する中臣氏の祖神

こうしてみてくれれば、日本でもっとも権威のある神・天照大神の天《あま》の岩屋戸《いわやと》隠れで、中臣氏の祖神・天児屋命が重要な役割を負っていたことがわかる。中臣氏の正統性は、正史の中で証明されていたのである。

では、何が問題になってくるかというと、三点を挙げることができる。

まず第一に、中臣鎌足《かまたり》の登場まで、中臣氏の活躍が、ほとんど見られないこと。

第二に、その中臣鎌足も、何の前触れもなく、唐突に歴史に登場する。しかも、正史『日本書紀』を読んだかぎりでは、中臣鎌足の父母さえはっきりしない。

第三に、中臣鎌足の末裔《まつえい》の藤原氏は、どういう理由からか、中臣鎌足は常陸《ひたち》国（茨

■ 中臣鎌足の謎 ■

第1の謎

『日本書紀』には鎌足の出現まで中臣氏の活躍がほとんど見られない

第2の謎

『日本書紀』では鎌足の父母もはっきりせず、本人の登場の仕方もあまりに唐突

『大織冠伝』によると

［略意］中臣鎌足はヤマトの高市郡（現在の明日香村周辺）の人で、先祖は天児屋命。御食子の長子で、母は大伴夫人といった。
中臣鎌足は推古三十四年（六二六）に藤原（のちに藤原宮の造られる場所）で生まれた。

↓

ではなぜ『日本書紀』には明記されなかったのか？

第3の謎

藤原氏の末裔が『日本書紀』で証明された正統性を自ら疑っていた

城県）の鹿嶋《かしま》からやってきたと捉《とら》えていたふしがある。正史『日本書紀』の中で証明された正統性を、なぜ自ら疑ってかかったのか、説明がつかないのである。

そこで、順番に問題を整理していこう。

『日本書紀』は中臣氏の活躍を、どのように記録したのだろう。

『日本書紀』の神話では、天の岩屋戸神話の後、もう一度天児屋命を登場させている。出雲《いずも》国譲りを強要した高皇産霊尊《たかみむすひのみこと》が、

「私は天津神籬《あまつひもろぎ》と天津磐境《いわさか》を起こし立てて、まさに皇御孫《すめみま》のために祀《まつ》ってきた。汝《なんじ》、天児屋命、太玉命は天津神籬を持って葦原中国に降り、皇御孫のために祀れ」

と命じ、天児屋命と太玉命を天忍穂耳尊に添えて葦原中国に下ろした、というのである。

中臣氏の祖が神話の世界で活躍したのは、一つの理由に、この一族が神祭りと深くかかわっていたからであろう。

中臣氏の名の由来は、『大織冠伝《たいしよつかんでん》』（『藤氏家伝《とうしかでん》』）に、

天地《てんち》の祭《まつり》を掌《つかさど》り、人神《じんしん》の間《あひだ》を相《あ》ひ和《わ》せり。仍《よ》て、其《そ》の氏《うぢ》に命《おほ》せて大中臣《おほなかとみ》と曰《い》ふ。

とあるように、神と人間の仲を取り持つの意である。つまり、中臣氏は神事に仕えた一族であったことになる。だからこそ、神話に登場してくるのである。

歴史時代の中臣氏のさえない活躍

このように、神話の世界で、中臣氏の祖神・天児屋命は大活躍をしている。しかし、歴史時代にはいると、なぜか中臣氏の影は薄くなるのである。

そこで『日本書紀』の中で中臣鎌足以前の中臣氏のめぼしい行動を拾い上げていってみよう。

神武《じんむ》即位前紀には、菟狭国造《うさのくにのみやつこ》の祖・菟狭津媛《うさつひめ》が中臣氏の遠祖・天種子命《あまのたねこのみこと》の妻となったという話がある。

垂仁《すいにん》天皇紀二十五年春二月の条には、五人の大夫《まえつきみ》の名が連なり、その中に中臣連の遠祖・大鹿嶋《おおかしま》の名がみえる。仲哀《ちゆうあい》天皇紀九年春二月の条には、神功《じんぐう》皇后が中臣烏賊津《いかつ》連らに仲哀天皇の崩御を秘匿《ひとく》するように命じる場面、允恭《いんぎよう》天皇紀七年十二月の条には、皇后の妹で絶世の美女・衣通郎姫《そとおしのいらつめ》が、允恭天皇の召喚の要請を再三再四拒絶したこと、中臣烏賊津連が呼び出され、もし衣通郎姫を連れてくれば、褒美《ほうび》を与えようと言い渡されたと記されている。烏賊津連は、命を張って任務を遂行したという。

もっとも、これまでの『日本書紀』の記事は、伝説の域を出ていない。六世紀の段階に入ると、生々しい権力闘争の中に、中臣氏が登場してくる。

欽明《きんめい》天皇紀十三年十月には、仏教を導入しようと朝廷に働きかける蘇我稲目《そがのいなめ》に対し、物部大連尾輿《もののべのおおむらじおこし》とともに中臣連鎌子《かまこ》（中臣鎌足とは別人）が、仏教を「蕃神《あたしくにのかみ》」と罵《ののし》り、もし仏教を取り入れれば、おそらくは国つ神の怒りを買うにちがいないと抗議している。

いよいよここから、崇仏派と排仏派の対立が深まっていく。

敏達《びだつ》天皇紀十四年三月の条には、仏教をあがめようとする天皇に対し、物部弓削守《ゆげのもり》屋《やの》大連と中臣勝海大夫《かつみのまえつきみ》が次のように奏上している。

「なぜ陛下は我々の言葉をお信じにならないのでしょう。欽明天皇の御世より陛下の世にいたるまで、疫病《えきびょう》はちまたにはやり、人々が絶えてしまおうとしております。これはすなわち、蘇我臣《おみ》が仏教を広めているからにほかなりません」

こうして崇仏派と排仏派の衝突が始まり、同年六月の分注には、物部弓削守屋大連や中臣磐余連《いわれのむらじ》は寺を焼き、仏像を捨てたと記す。

推古三十一年是歳《ことし》の条には、新羅《しらぎ》征討軍の将軍のひとりに、中臣連国《くに》（国子）の名が挙げられている。

舒明《じょめい》天皇即位前紀には、推古天皇の崩御を受けて、次期後継者問題が浮上する中、中臣連弥気《みけ》なる人物が、蘇我蝦夷《えみし》の推す田村皇子《たむらのみこ》の即位に同意する発言を行っている。ここに現れる中臣連弥気は、『新撰姓氏録《しんせんしょうじろく》』に中臣鎌足の父とある御食子《みけこ》と同一であろう、と考えられている。

こうしてみてくれば、神代の大活躍が嘘《うそ》であったかのように、中臣氏の記述は地味で目立たない。そして、六世紀、排仏派としての中臣氏がクローズアップされるにすぎない。また、『古事記』にいたっては、神話をのぞいて、中臣氏はいっさい姿を見せないのである。

唐突に歴史に姿を現す中臣鎌足

ここで第二の問題が浮上する。

すでに触れたように、『日本書紀』における中臣鎌足の初出は、皇極三年（六四四）の神祇《じんぎ》伯抜擢《はくばつてき》記事であった。ただ、ここで中臣鎌足は、まったく前後の脈絡なく登場している。

後世の『大織冠伝』や「中臣氏系図」の中で、中臣鎌足の父は御食子と明記されているにもかかわらず、なぜ鎌足の系譜は、はっきりと示されなかったのであろう。例えば『大織冠伝』は、中臣鎌足の出自について、次のように記している。

　内大臣《うちつおほおみ》、諱《いみな》は鎌足《かまたり》、字《あざな》は仲朗《ちうらう》、大倭国高市郡《やまとのくにたけちのこほり》の人《ひと》なり。其《そ》の先《さき》、天児屋根命《あめのこやねのみこと》より出《い》づ。（中略）美気祜《みけこ》卿《のまへつきみ》の長子《このかみ》なり。母《はは》を大伴夫人《おほとものおほとじ》と曰《い》ふ。大臣《おほおみ》、豊御炊天皇《とよみけかしきのすめらみこと》卅《さむ》四年歳次甲戌《じふしねんさいしかふしゆつ》を以《もち》て、藤原《ふちはら》の第《てい》に生《う》まれき。

　これによれば、中臣鎌足はヤマトの高市郡（現在の明日香《あすか》村周辺）の人で、天児屋命の末裔であること。御食子の長子で、母は大伴夫人といい、中臣鎌足は推古三十四年（六二六）に藤原（のちに藤原宮の造られる場所）で生まれた、というのである。『日本書紀』には記されなかった中臣鎌足の出自が、ここに明示されていることになる。

『大織冠伝』は、奈良時代後期の政治家・藤原仲麻呂《なかまろ》の手で編纂《へんさん》された（天平宝字《てんぴょうほうじ》四～六年。西暦で七六〇年前後）歴史書である。一度没落した藤原氏を復興させ、独裁権力を手中にした藤原仲麻呂が、藤原氏の正当性を喧伝《けんでん》し、自家の「輝かしい歴史」

を後世に書きとどめようとしたのが、『大織冠伝』だったわけだ。

では、『大織冠伝』の中臣鎌足記事はどこまで信用できるのであろうか。

藤原仲麻呂は中臣鎌足の曾孫《そうそん》に当たる。鎌足の没年が西暦六六九年で藤原仲麻呂の生年が七〇六年だから、両者に接点はない。したがって、仲麻呂が鎌足の正確な情報を持っていたかどうか、疑わしいととらえることもできる。しかし、中臣鎌足の息子・藤原不比等の没年が西暦七二〇年であったこと、『日本書紀』の編纂も同年であったことが大きな意味をもってくる。つまり仲麻呂は、不比等から、鎌足の生い立ち、生前の活躍など、さんざん聞かされていた可能性が高くなる。

とするならば、むしろ藤原仲麻呂は藤原氏勃興《ぼっこう》の最大の功労者、中臣鎌足の正体を知っていた、と考えた方が自然であるし、だからこそ一般にも、『大織冠伝』の伝承は、ほぼ間違いないと考えられているのである。

そこで、『大織冠伝』の中臣鎌足をめぐる伝承が正しいと仮定してみよう。

そうなると解《げ》せなくなってくるのが、『日本書紀』の記述なのである。

なぜ『日本書紀』は中臣鎌足の父親の名を明記しなかったのだろう。父親だけではない。蘇我入鹿《いるか》の父、祖父、曾祖父がはっきりと『日本書紀』の中で語られているように、中臣鎌足の親族についても、もっと詳細な記述があってしかるべきではなかったか。

すでに触れたように、『日本書紀』は西暦七二〇年に編纂された。そして、それは、藤原不比等が確固たる政治体制を固めた時代だったのである。とするならば、『日本書紀』は藤原氏の正当性、正統性を主張するために書かれた歴史書とみて間違いない。だからこそ、「中臣鎌足以前」の中臣氏の姿が稀薄であることは、不審と言わざるを得ないのであって、そうなると、『日本書紀』という文書がいかなる代物《しろもの》であったのか、掘り下げておく必要が出てくる。

なぜ『日本書紀』は藤原氏の過去を描かなかったのか

さて、『日本書紀』が藤原不比等の肝いりで作られた歴史書であることを推理し、強調したのは、上山春平《うえやましゅんぺい》氏と梅原猛氏の二人の哲学者だった。つまり、史学界から見て門外漢に当たる人々が、さかんに述べ立てているものである。当然、これに対し、史学界の反応は、冷めていた。

例えば木本好信《きもとよしのぶ》氏は『律令貴族と政争』(塙《はなわ》選書)の中で、

上山氏は不比等を記紀の制作主体とみる仮説を提出されているが、実証史学を志す学徒としては俄《にわ》かに信じがたい。が、『日本書紀』の編纂者には時の実力者不比等の思惑を推し量るところのあったことは認めてもよいであろう。

と述べている。すなわち、不比等が編纂に関わったという明確な証拠がない以上、上山説を手放しで支持するわけにはいかない、と距離を置くのである。

しかし、あらゆる状況証拠は、上山説をあと押ししているとしか思えない。それにもかかわらず、史学界が上山説に難色を示すひとつの理由は、これまでの『日本書紀』に対する史学界の考え方に、決定的な読み間違いがあったからである。すなわち、『日本書紀』は天武《てんむ》天皇が編纂を命じたのだから、天武天皇にとって都合のいい歴史書だった、という「常識」が罷《まか》り通っていたのである。

なぜ、史学界は、このような間違った考えに固執するのであろう。

それは、『日本書紀』の中に、天武天皇が歴史書の編纂を命じた、とあるからであろう。天武天皇の肝いりで、『日本書紀』が完成したのは当然、ということになった。

では、なぜ天武が歴史書の編纂を急がせたかというと、壬申《じんしん》の乱で甥《おい》・大友皇子《おおとものみこ》を殺して政権を獲得した天武が、この乱の正当性を証明する必要があった、というのである。

繰り返すが、『日本書紀』は天武天皇のために書かれたというのは、まったくの妄想である。

まず、天武天皇の崩年が西暦六八六年であったことを忘れてはならない。『日本書紀』の成立はそれから三十四年もたっている。したがって、仮に歴史編纂事業の開始が天武天皇の御世《みよ》のこととしても、最終的に完成したときに、天武天皇にとって都合のいい歴史書ができあがっていたとは限らないのである。

正確に言えば、『日本書紀』は天武天皇にとって都合のいい歴史書だったのではなく、天武天皇の死後、三十年後の政権にとって都合のいい歴史書だったということになる。そして、その政権とは、藤原不比等の政権であり、『日本書紀』は藤原不比等にとって都合のいい歴史書だったはずである。

天武天皇と藤原氏の間に横たわるわだかまり

忘れてはならないのは、天武天皇（大海人皇子《おおあまのみこ》）と「藤原」との間に、大きなわだかまりが横たわっていたことである。

わかりやすい例を一つあげておこう。

藤原不比等の父・中臣鎌足は、壬申の乱の直前、大海人皇子の即位を阻止するために暗躍していた疑いがつよい。

なぜなら当時、天智《てんじ》自身、皇位を弟で皇太子の大海人皇子ではなく、自分の子の大友皇子に譲りたいと焦《あせ》っていたこと。中臣鎌足は天智の懐《ふところがたな》刀であって、天智の意志を尊重していたと考えた方がつじつまが合う。そして、このことを証明するように、日本最初の漢詩集『懐風藻《かいふうそう》』の大友皇子を紹介する一節に、次のような奇妙な記事が残されている。

天智天皇晩年のことである。ちょうど来日していた唐使劉徳高《りゅうとくこう》が大友皇子をさして、日本にいるのはもったいないほどの人物だと評価した、という。その劉徳高が、あるとき夢を見た。それは、大友皇子が皇位を継承しようとすると、脇《わき》から邪魔者が現れ、横取りしてしまった、というのである。怪しんだ劉徳高は、これを中臣鎌足に話したという。すると中臣鎌足は、

天道親無《てんだうしんな》し、惟善《ただぜん》をのみ是《こ》れ輔《たす》くと。

とのべたという。天は公平であり、善行を積むものを必ず助けます。だから、大友皇子が徳を修める限り、皇位はかならず転がり込むでしょう、というのである。

ここにいう邪魔者とは、大海人皇子であり、中臣鎌足が大海人皇子の廃太子《はいたいし》を願っていたことはまず間違いない。その中臣鎌足は壬申の乱の直前に亡《な》くなるが、その子藤原不比等も、父にならって、大友皇子側についたからこそ、敗戦の憂《う》き目にあったのだろう。

事実、藤原不比等は天武天皇在位中は、まったく日の目を見なかったのであり、歴史に登場するのは、天武崩御の後のことなのである。

この間、不比等は朝廷から干されていた可能性が高く、とするならば、不比等が天武朝を美化する目的の歴史書の編纂をおもしろく思っていたはずがなく、逆に、天武の正体を抹殺《まっさつ》しようと企《たくら》んだ疑いさえ出てくるのである。『日本書紀』のなかで天武天皇の前半生がまったく空白なのは、そのためと考えられる。したがって、『日本書紀』をめぐるこれまでの通説、常識を、今一度疑ってかかる必要があることはいうまでもない。

『日本書紀』が天武ではなく藤原氏にとって都合のいい歴史書であったことを、先述の『大織冠伝』が雄弁に物語っている。

■ 天武天皇と藤原氏の対立の構図 ■

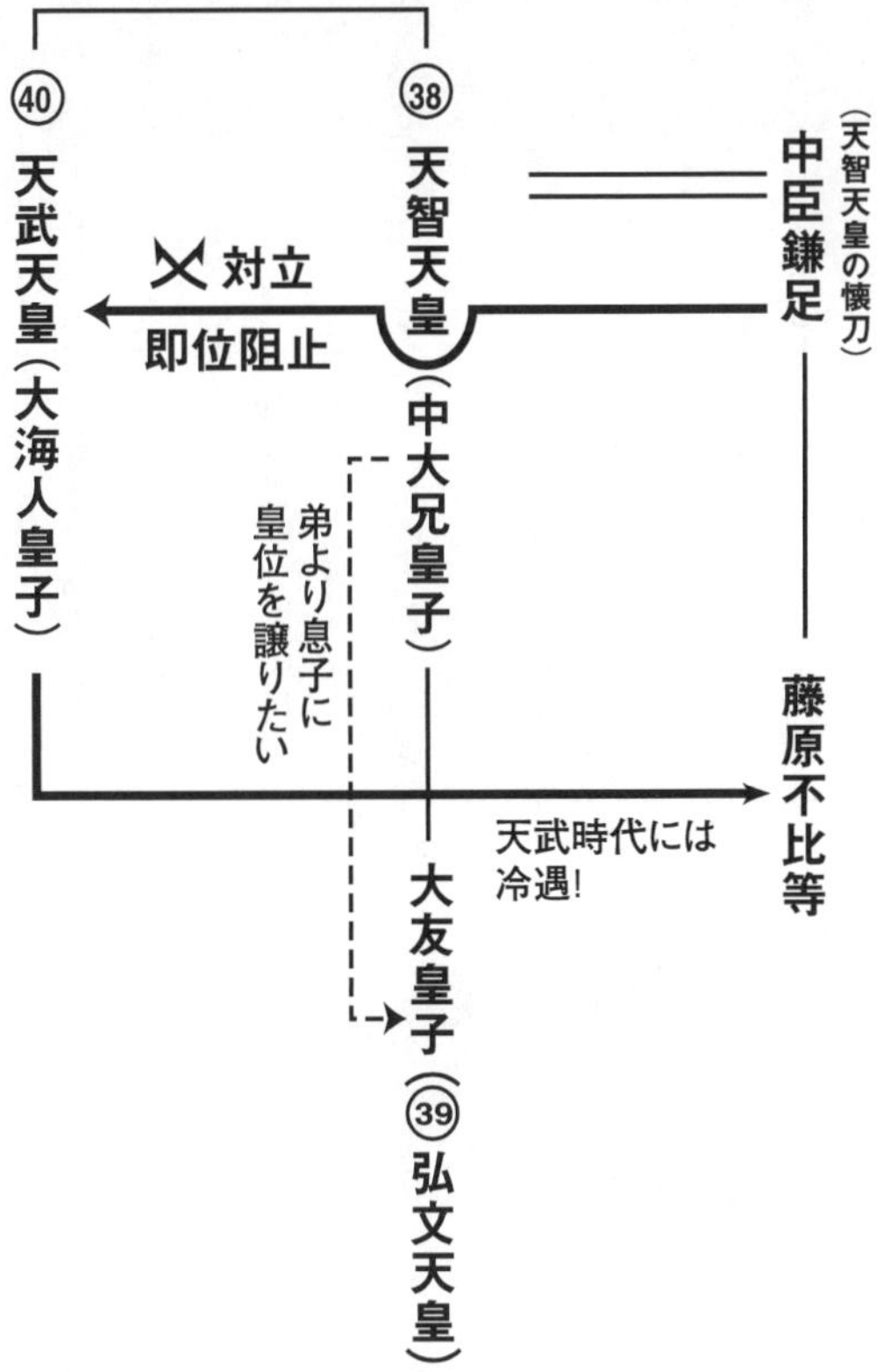

『大織冠伝』の内容は、ほぼ『日本書紀』と同じである。わずかに異伝を差し挟むが、基本的な骨格、描写の仕方はそっくりである。『日本書紀』と同時代を記した文書に、『古事記』や『先代旧事本紀《せんだいくじほんぎ》』などがあるが、それらが『日本書紀』の記述に似ていながら、多くの点で食い違い、矛盾をはらんでいるのに対し、唯一《ゆいいつ》『大織冠伝』のみが、『日本書紀』の記述と整合するのである。

これはなぜかといえば、『日本書紀』の中に、藤原氏にとって都合の悪いことが書かれていないということであって、『藤氏家伝』の中の『大織冠伝』がほとんど『日本書紀』を踏襲しているのは、『日本書紀』が藤原氏の主張を、盛り込んでいるからにほかなるまい。

とすれば、木本氏のいうように、藤原不比等の思惑を推量したのが『日本書紀』なのではなく、『日本書紀』は不比等の思惑そのものであった可能性は高くなるばかりなのである。その証拠に、『日本書紀』は藤原氏が独裁権力を握った後、焼き捨てられることなく大切に守られた。「独裁者」による焚書《ふんしょ》の憂き目にあわなかったことこそ、『日本書紀』の性格をよく表している。

問題はここからだ。

改めて言うが、『日本書紀』が藤原氏のための歴史書であるとすれば、中臣鎌足の

■ 古文書編纂の背景 ■

ほとんど内容が同じ。藤原氏の観点で編纂

『日本書紀』…720年に完成した勅撰史書。公式には舎人《とねり》親王・太安万侶の編纂とされるが、藤原不比等が大きく関与していたとされ、藤原氏にとって都合の良い内容になっている。

『古事記』……712年、太安万侶《おおのやすまろ》が選録した史書。神代から7世紀の推古天皇までの系譜や歴史を説話的に記録しているが、偽書ともいわれる。

『先代旧事本紀』… 著者、成立年代とも不詳だが、物部氏による史書という見方が強い。中世までは『古事記』より重視されていたが、近世国学の隆盛とともに地位が逆転した。

『藤氏家伝』…奈良時代に藤原仲麻呂らによって作られた藤原家の家伝。鎌足伝は『大織冠伝』として知られる。

出自を明確にできたはずだし、神代のみならず、中臣鎌足にいたる中臣氏（藤原氏）の活躍を、美化と誇張をまじえ、詳述することができたはずである。

それにもかかわらず、「中臣鎌足以前」について沈黙を守ったのはなぜだろう。

さらに中臣鎌足の前半生を、なぜ『日本書紀』は書き記さなかったのか。この点がどうしても理解できないのである。なぜ中臣鎌足は、乙巳《いっし》の変の直前、無位無冠のまま忽然《こつぜん》と姿を現したのであろう。しかもこの時、中臣鎌足は神祇伯に大抜擢されているのである。とするならば、その直前、中臣鎌足は、何かしらの功績を残していたはずなのである。その功績を、なぜ『日本書紀』は取り上げなかったのか。

功績を挙げなかっただけではない。『日本書紀』は中臣鎌足の親がだれだったのか、それすら掲げないのである。

『日本書紀』はどうした理由からか、蘇我氏の始祖を明確にしていない。だから中臣鎌足の親の名を示さないのは、大きな問題ではない、と反論がでるかもしれない。

しかし、蘇我氏と中臣氏では立場がまったくちがう。蘇我氏の祖を秘匿《ひとく》したのは、藤原氏が滅亡に追い込んだ相手、蘇我氏が、由緒《ゆいしょ》正しい一族だったからだろう。では、その祖がいったい誰であったかについては、他の拙著の中で繰り返し述べてきたので割愛する（『蘇我氏の正体』東京書籍）。

いっぽう中臣鎌足の場合はまったく事情が異なる。

もし藤原氏が本当に神代から続く名族であったとしたら、中臣鎌足の親の名を隠す必要はなかったのである。何となれば、藤原氏はこののち千年の王国を作ったのであり、いくらでも歴史書の内容を書きかえることができたからである。

中臣鎌足は常陸国鹿嶋からやってきたという説

ここで第三の問題が浮上する。

後世の藤原氏は、中臣鎌足が常陸国の鹿嶋からやってきたのではないかと考えていた節がある。

平安時代後期に成立した歴史物語『大鏡』には、次のようにある。ちなみにこの物語は、藤原道長《みちなが》をはじめとする摂関家を、列伝風に記したものである。


この御時《おんとき》（孝徳天皇の時代）、中臣の鎌子連と申て、内大臣になりはじめ給《たまふ》。そのおとゞ（鎌子）は、常陸国にてむまれたまへりければ（後略）

すなわち、孝徳天皇の時代に内大臣（内臣《うちつおみ》）に昇った中臣鎌子（鎌足）は、もともとは常陸国（茨城県）の人だったというのである。

さらに『大鏡』は、中臣鎌足の出現以来、中臣（藤原）の氏神が祀《まつ》られる鹿島神宮には、歴代天皇が即位されるに際し、必ず御幣《ごへい》の使いが出されてきた、と記録している。そして、都が平城京に遷《うつ》ってからは、さすがに鹿嶋は遠いので、都の東側の三笠《みかさ》山（御蓋山《みかさやま》）に勧請《かんじょう》し、春日明神《かすがみょうじん》として祀るようになった、とする。

もっとも、この文書が藤原氏の手で記されたものかどうかは、はっきりしない。したがって、この記述だけを以《もっ》て、藤原氏自身が中臣鎌足の出身を常陸と考えていたと決めつけることはできない。その証拠に、奈良時代、藤原仲麻呂の関《かか》わった『大織冠伝』には、

其《そ》の先《さき》、天児屋根命《あめのこやねのみこと》より出《い》づ。

とあって、奈良時代の藤原氏は、自家の祖を『日本書紀』同様神代の天児屋（根）命であったと主張している。

むしろこれは当然のことであって、正史『日本書紀』によって証明された自家の正

統性を、あえてくつがえす必要はどこにもなかったのである。したがって、『大鏡』の記述は、藤原氏の栄華を妬《ねた》む何者かの手による中傷であった疑いさえでてくるのである。

ところが、ここからが奇妙なのだが、藤原氏が祀る奈良の春日大社には、常陸の鹿島神宮と下総《しもうさ》の香取《かとり》神宮の神が勧請されている。しかも、東国から招かれた二柱《はしら》の神が、藤原氏の祖であるはずの天児屋命よりも、厚く丁重に祀られているのである。

奈良県奈良市春日野町の春日大社は、背後の三笠山を御神体として鎮座する。もともとこのあたりは和邇《わに》氏（春日氏）の勢力圏であったものを、藤原氏が平城京を造営するに際し、接収したものと考えられる。祭神は、武甕槌命《たけみかづちのみこと》、経津主命《ふつぬしのみこと》、天児屋命、比売神《ひめかみ》の四座である。

武甕槌神・経津主神の謎《なぞ》

ここにある武甕槌命（神）、経津主命（神）とは何者であろう。

『日本書紀』の神代の条には、次のようにある。

地上界に追放された素戔嗚尊は、そこから人が変わったように活躍をはじめた。

八岐大蛇《やまたのおろち》の人身御供《ひとみごくう》にされかけた奇稲田姫《くしいなだひめ》を救い、出雲を建国したのだ。そして、素戔嗚尊は、大国主神《おおくにぬしのかみ》（大己貴神《おおなむちのかみ》）ら、末裔《まつえい》の神々に国土造営を委《ゆだ》ね、根の国に去っていった。

いっぽう高天原の天照大神は高皇産霊尊とともに、子の正哉吾勝勝速日天忍穂耳尊を地上界に君臨させようと画策、代わる代わる「工作員」を遣わすが、みな出雲に同化してしまい、ことごとく失敗した。そして、最後の切り札に抜擢《ばってき》されたのが、武甕槌神と経津主神であった。

ちなみに、『日本書紀』では、武甕槌神は、経津主神に「配《そ》へて」（添えて）出雲に遣わされた、となっている。どうやら、武甕槌神よりも経津主神の方を、『日本書紀』は重視しているようだ。

それはともかく、二柱の神はさっそく出雲に降り立ち、大国主神に直談判する。

「高皇産霊尊は皇孫を王にしようとお考えだ。そこで我らを遣わし、平定させようと言うのだ。おまえらは素直に去るのか、それとも拒否するのか」

と、国譲りを強要したのである。

出雲神は、武甕槌神らの要求を受け入れ、出雲から去っていった。

つまり、武甕槌神、経津主神、どちらも、出雲国譲りにもっとも功のあった神々であり、この後の天孫降臨《てんそんこうりん》をお膳立《ぜんだ》てした神々だったわけである。

また、『古語拾遺《こごしゅうい》』も、武甕槌神、経津主神について触れている。

それによれば、神代の時代、天照大神と高皇産霊尊は、皇孫を豊葦原の主にしようと思い、経津主神、武甕槌神を地上に遣わし、平定の尖兵《せんぺい》とした、という。そして、経津主神は下総国の香取神、武甕槌神は常陸国の鹿島神であったというのである。『古語拾遺』の言うように、現在の千葉県香取市香取に香取神宮（下総国一の宮）があって、経津主神を祀り、茨城県鹿嶋市には鹿島神宮（常陸国一の宮）があって、武甕槌神を祀っている。

ちなみに、周知のように、サッカーＪ１の鹿島アントラーズの本拠地が、鹿島神宮のお膝元《ひざもと》である。ついでまでに言っておくと、伝説の剣豪・塚原卜伝《ぼくでん》も、鹿島神宮の祝部《はふりべ》の出身である。「卜伝」の名には、鹿島神宮の神職、卜部《うらべ》にさかんだった刀法を伝える、という意味が隠されているという（矢作幸雄《やはぎゆきお》「中臣氏と鹿島神宮」『藤原鎌足とその時代』青木和夫・田辺昭三編　吉川弘文館）。

中臣氏の祖神は東国から勧請された？

それはともかく、これらの神社がいつ頃創建されたかというと、定かなことはわからない。ただ、香取神宮には、神武天皇十八年に創建されたと伝えられている。つまり、ヤマト建国とほぼ同時に神社が建てられた、というのである。だが、これは疑わしい。

たとえば『常陸国風土記《ふどき》』香島《かしま》郡の条には、七世紀の第三十六代孝徳天皇の時代、中臣氏らに命じ、下総国の北側を割かせ、「神の郡」を置かせた、とある。そしてこの地域の三つの社を合わせて、香島の天《あめ》の大神《おおかみ》と称した、という。この香島の天の大神は何者かというと、天孫降臨に先んじて送り込まれた神で、天の住まいを日の香島の宮といい、また、地の住まいを豊香島《とよかしま》の宮と名づけたとある。

この記述を見る限り、鹿島神宮の創建は七世紀前後のことと考えられる。

もっとも、三世紀末から四世紀に実在したと目される第十代崇神《すじん》天皇の御世、大刀《たち》や鉾《ほこ》などの武具が奉納され、その後歴代天皇の篤《あつ》い崇敬を受けたという記事があるから、話は混沌《こんとん》とするのだが、天智天皇の時代、神の宮が造営されたという記事から、やはり、神社の創建は、七世紀頃のことと考えていいだろう。

そして『風土記』は、「中臣」の名を冠した者が、豊香島の宮の神の神託を人々に伝える役割を担《にな》っていたと記録している。この中臣氏が、中臣鎌足の祖なのであろうか。

いっぽう藤原氏の春日大社は、これら東国の神々を八世紀、平城京に勧請したのがはじまりである。

『皇年代記《こうねんだいき》』(『興福寺略年代記《こうふくじりゃくねんだいき》』)には、神護景雲《じんごけいうん》二年(七六八)に春日大明神が三笠山に遷ったとあり、鎌倉時代に記された春日大社の縁起『古社記』には、『日本書紀』神話を踏襲し、天の岩戸神話で天児屋命が活躍した話や、中臣神、忌部神が表に出てきた天照大神に注連縄《しめなわ》をかけた話があって、また、武雷尊《たけみかずちのみこと》(武甕槌神)が、素戔嗚尊と心を合わせ悪巧みを謀《はか》った「鹿嶋の邪神」を懲《こ》らしめたとある。さらに、神護景雲元年(七六七)、武甕槌神が常陸の鹿島神宮から鹿《しか》を馬替わりにして乗り、柿《かき》の枝を鞭《むち》にして伊賀国名張《なばり》、大和国城上郡《しきのかみぐん》安倍《あべ》山と遷《うつ》り、さらに、翌年、ヤマトの三笠山に遷座《せんざ》し、同様に経津主神が香取神宮から、また、天児屋命と比売神が河内《かわち》の枚岡《ひらおか》神社から勧請されたと記されている。

こうしてみてくれれば、藤原氏の祀る春日大社の祭神が、東国から勧請されたことはたしかなのである。

いったいこれはどういう意味だろう。藤原氏が、中臣鎌足鹿嶋出身説を自認していた、ということなのであろうか。

中臣氏が成り上がりだったという梅原説

梅原猛氏は、中臣鎌足以前、『日本書紀』に登場する四人の「中臣」のうち、中臣氏系譜には、ひとりのみが記録されていること、『古事記』には、四人全員が名前をとどめないことを不審に思い、『日本書紀』に残された中臣氏の活躍は、創作にすぎないと考えたのである。

そのうえで梅原氏は、中臣氏と朝鮮の関係に注目するべきだ、と指摘する。なぜかというと、『続日本紀《しょくにほんぎ》』桓武《かんむ》天皇の天応《てんおう》元年（七八一）七月の条に、次のような記事があるからだ。

栗《くり》（柴）原勝子公《はらかつこのきみ》の先祖は伊賀都臣《いかつおみ》で、これは中臣の遠祖、天御中主命《あまのみなかぬしのみこと》の二十世の孫、意美佐夜麻《おみさやま》の子である。伊賀都臣は神功《じんぐう》皇后の御世に百済《くだら》に使いして、当地の女性と結婚し、二人の男子を生んだ。名づけて大本臣《おおもとのおみ》、小本臣《おもとのおみ》という。彼らははるかに本系をたずねて我が国にやってきた。美濃《みの》国不破《ふわ》郡栗原の地を賜って住み、その後栗原の地名を名につけた、中臣栗原連の姓《かばね》を賜りたいと申し出た。

この話は中臣氏の祖先を示唆《しさ》するものと考えた梅原氏は、『隠された十字架』（新潮社）のなかで、

おそらくこの中臣氏は、帰化人の血を引く東国出身らしい成り上り者であり、この成り上り者が鎌足の父、御食子《みけこ》を祖とし、不比等まで三代で政治の実権をほぼその手に握ったのである。

とするのである。

たしかに、のちに詳述するように、藤原氏を渡来系と考えない限り、解けない謎がいくつもある。しかし、中臣栗原連の例だけをもってして、藤原氏を渡来系と断定することはできない。

さらに、中臣鎌足以前の記述が『日本書紀』にほとんどないのだから、中臣鎌足や

御食子が成り上がりとする説も魅力的だが、やはり、だからといって、東国出身であったかというと、即断するだけの証拠はそろっていない。

枚岡神社と春日大社の奇妙な関係

いっぽう田村圓澄《えんちょう》氏は『藤原鎌足』(塙新書)の中で、中臣鎌足の出自について、興味深い指摘を行っている。

田村氏が注目したのは、古くからの中臣氏の本拠と目される大阪府東大阪市の地にある式内社《しきないしゃ》・枚岡神社の祭神である。

現在の枚岡神社の祭神は四座で、武甕槌神、経津主神、天児屋命、比売神と、春日大社と全く同じである。しかし、この四座の祭神が並んでいるのには、奇妙ないきさつがある。というのも、『三代実録《さんだいじつろく》』貞観《じょうがん》元年(八五九)正月二十七日の条に「枚岡天児屋命・枚岡比咩神《ひめかみ》」とあるように、本来枚岡神社では、武甕槌神と経津主神は、祀られていなかったのだ。

では、なぜ祭神が増えたかというと、春日大社から二柱の神を勧請したからにほかならない。

ただし、正確に言うと、いきさつはもう少し複雑である。

まず春日大社創建に際し、東国から武甕槌神、経津主神が勧請され、さらに枚岡神社から春日大社に天児屋命と比売神が勧請された。そしてこのあと、春日大社から、武甕槌神、経津主神が、枚岡神社に勧請されたのである。

田村氏は、この経緯を重視し、次のように結論づける。


このように考えると、鎌足の父を中臣御食子《みけこ》、母を大伴夫人とし、そして都のあった大和高市郡で生まれたとする伝承は、大織冠にまで上った藤原鎌足の生涯を、より立派に見せるための造作ではなかったかと思われる。そして出自を欺《あざむ》くような造作があることは、かえって鎌足の素姓の低さを暗示しているともいえるのである。しかし、出自をごまかすことはできても、氏神をだますことはできない。


この結果、鎌足は常陸の生まれで、東国の中臣氏の流れを汲《く》み、宮廷の祭祀《さいし》をあずかる中臣氏の家に身を寄せたのだろう、とするのである。

田村氏の指摘するように、枚岡神社の祭神の変遷と春日大社の主祭神選びは奇妙である。もし仮に、中臣鎌足の先祖が畿内《きない》で活躍した中臣氏であるとするならば、当然枚岡神社の祭神、天児屋命を春日大社の主祭神に選ばなければおかしい。第一、天児屋命こそが、正史のお墨付きをもらった（と言うよりも藤原不比等が書かせたのだろうが）中臣氏の祖神なのである。それにもかかわらず春日大社の祭神にわざわざ東国の香取神宮や鹿島神宮の祭神を持ってきたのであれば、中臣鎌足の祖が東国の中臣氏であった疑いは強まるのである。

大和岩雄氏は『日本の神々3』（白水社）の中で、朝廷が建御雷神《たけみかづち》（武甕槌神）と経津主神を正一位に、天児屋命を従一位と、はっきりと差をつけていること、さらに、藤原氏は鹿島神宮にしばしば鹿島使をたてていたのに、枚岡神社に特別の参詣《さんけい》を行ったという記録のないことから、次のように述べている。

このような差は、中臣鎌足《かまたり》・不比等《ふひと》の直系の藤原氏と、傍系の中臣氏の氏神との差であろう。

つまり、中臣鎌足の祖は、東国鹿嶋出身であったというのである。

こうしてみてくると、中臣鎌足東国鹿嶋出身説が優勢のように思えてくる。

ヤマトの中臣氏が物部氏の没落によって東国に進出したとする説

ところがいっぽうで、鹿島神宮の祭神・武甕槌神や香取神宮の経津主神が中臣氏の神ではなく、古くはヤマト最大の豪族・物部氏のもので、物部氏が没落した段階で、中臣氏が奉じるようになったのではないか、とする考えがある。そして、そうであるならば、東国の中臣氏がヤマトにやってきたのではなく、その逆が本当の姿であって、本当は、ヤマトの中臣氏が東国に赴いたに過ぎないというのだ。したがってこの説を重んじれば、中臣鎌足の祖は『日本書紀』の記述通りヤマトの中臣氏にほかならないことになる。

では、なぜこのような説が飛び出したのか、その背景を探ってみよう。

奈良県天理市に、七支刀《しちしとう》で名高い石上《いそのかみ》神宮がある。『延喜式《えんぎしき》』には石上坐布都御魂《いそのかみにますふつのみたま》神社とあるように、主祭神は布都御魂《ふつのみたまがみ》神で、物部氏が祀《まつ》ってきた神である。

布都御魂神は、人間の姿ではない。「剣」なのである。『日本書紀』に従えば、神武天皇がヤマト入りする直前のこと、熊野《くまの》の神の毒気に当たり往生していた神武天皇の一行の前に、高倉下《たかくらじ》（『先代旧事本紀《せんだいくじほんぎ》』によれば、饒速日命《にぎはやひのみこと》の子の天香語山命《あまのかごやまのみこと》の別名で、尾張《おわり》氏の祖ということになる）が現れたという。高倉下は天照大神が武甕雷（槌）神に、神武の加勢を命じたが、武甕雷神は、「自分が行かなくとも、剣を下せばおのずと平定できるでしょう」と答えたという。そして、武甕雷神の霊剣・韴霊《ふつのみたま》（布都御魂神）が高倉下に、さらには神武にわたったのである。

『先代旧事本紀』によれば、神武天皇はこののち、饒速日命の子の宇摩志麻治命《うましまじのみこと》にこの剣を下賜《かし》し、逆に宇摩志麻治命は饒速日命の十種神宝《とくさのかんだから》を神武天皇に献上した。そして、韴霊は石上神宮に祀られたのである。

どうやら韴霊は曰《いわ》く付きの剣であるらしい。

そして問題は、この韴霊が、香取神宮や春日大社で祀られる経津主神と同一と考えられていること、しかも、物部氏が韴霊、経津主神双方を祀っている点である。

例えば関東における物部氏の拠点に貫前《ぬきさき》神社（群馬県富岡市一ノ宮）があって、物部系の氏族（磯部《いそべ》氏）が経津主神を祀っている。韴霊と経津主神の「フツ」は、物部氏と深くかかわっていることは間違いなく、また、武甕雷神の神も、物部氏と関わっていたという説がある。

このように、経津主神や武甕雷神は、物部氏とつよい因果で繋《つな》がっているのである。

岡田精司氏はこれらの説を踏まえた上で、鹿島神宮の境内から五世紀代の祭祀遺跡がみつからないこと、六世紀に入ってから、土器がたくさん現れた点に着目し、鹿嶋の地がヤマトの東国経営の拠点であったことを指摘し、まず物部氏が鹿嶋を拠点に東国に乗り出したとする。そして『常陸国風土記』に、内大臣（中臣鎌足）が常陸に封《ふ》戸《こ》を設けたという記事のあるところから、鎌足の時代に、藤原氏と常陸のつながりができた、とする。

そのうえで、岡田氏は次のように述べる。

藤原鎌足は常陸で生まれた関東の豪族だというようなことをお聞きになったことあると思いますが、これは信頼できる話ではありません。というのは古い確実な書物の中には全然出てこない。十一世紀の『大鏡』に見るのが最初ですが、これは常陸と藤原氏との関係が非常に深いところから、のちにできた話だと思います（『神社の古代史』大阪書籍）。

こうなってくると話は混沌《こんとん》としてくる。岡田氏の言い分ももっともと思うが、中臣鎌足をめぐる出自探しは、みな肝心なことを見落としているように思えてならない。

たしかに、岡田氏の言うように、中臣氏と常陸のつながりは、物部氏没落後のことかもしれない。しかしだからといって、中臣鎌足の祖が枚岡に勢力圏を持った中臣氏の末裔《まつえい》であったことを証明したことにはならないからである。

鎌足の出自を解明するには、第三の仮説が必要

ここであらためて二つの仮説を検証し直してみよう。

その第一は、中臣氏の祖が常陸の鹿島神宮の神官であったというもの。この場合、中臣鎌足か、あるいは中臣鎌足の父とされる御食子が鹿嶋からヤマトにやってきたことになる。

その第二は、中臣鎌足の祖はもともと枚岡周辺にいた中臣氏であったとするものである。この場合、岡田氏の指摘するように、中臣氏と鹿島神宮の接近は、物部氏の没落後のことであり、中臣氏は鹿嶋からヤマトではなく、ヤマトから鹿嶋に勢力を伸ばしたことになる。

さて、第一の仮説である。

もし仮に中臣鎌足が鹿島神宮の神官であったと仮定しよう。その鎌足の息子・藤原不比等の代に、藤原氏は朝堂《ちょうどう》を牛耳《ぎゅうじ》ることに成功しているから、そうなると、藤原氏

は自らの系譜を粉飾したい衝動に駆られたはずだ。これは、中世の武士がありもしない系図をでっち上げ、源氏《げんじ》などの名門氏族と系譜を重ねていったのと同じ理屈である。

そこで、『日本書紀』の中で藤原氏は、中臣鎌足を天児屋命の末裔であることを強調し、畿内の中臣氏の直系であるかのように記録した、ということになる。

しかし、どうにも納得できないのは、平城京の春日大社において、藤原氏は鹿島神宮の祭神を勧請《かんじょう》していることである。

畿内の中臣氏の祖神・天児屋命を下位に押しやり、鹿島神宮や香取神宮の武甕槌神と経津主神を重視したのはなぜだろう。

中臣氏が、自らでっち上げた「天児屋命の末裔」という図式が崩壊する危険性があったにもかかわらず、本来の自家の氏神をどうしても祀りたいという衝動が勝った、ということも考えられるかもしれない。しかし、この二柱の神々は、鹿嶋の中臣氏の氏神ではなく、物部氏の氏神であった可能性が高いのである。とするならば、『日本書紀』によって立証された中臣鎌足の正統性を、後世の藤原氏は、自ら否定してかかったわけである。これはどう考えても不自然である。

そこで、第二の仮説を検証しよう。

ここでも同じことがいえる。

■ 中臣氏の出自をめぐる2つの仮説 ■

第1の仮説

『大鏡』による常陸の国の鹿嶋説

「この御時（孝徳天皇の時代）、中臣の鎌子連と申て、内大臣になりはじめ給。そのおとゞ（鎌子）は、常陸国にてむまれたまへりければ（後略）」

↓

なぜ『日本書紀』がせっかく構築した「天児屋命《あまのこやねのみこと》の末裔」とする図式を無視する必要があるのか

第2の仮説

大阪東大阪市の中臣氏の末裔説

そうなると、中臣氏の祖神・天児屋命を下位に押しやり鹿島神宮や香取神宮の神を重視したのはなぜなのか。

↓

春日大社に鹿島と香取の祭神を勧請したという説明がつかない

↓

矛盾する2つの仮説

↓

第3の仮説!

岡田氏の言うように、中臣鎌足が本当に枚岡の中臣氏の流れを汲《く》んでいるのなら、なぜ春日大社は、鹿島と香取の祭神を春日大社に持ってくる必要があったのか。しかも枚岡の中臣氏の氏神をさしおいて、である。

結局、どちらの仮説にも、重大な欠点が存在するのである。それにもかかわらず、どちらかいっぽう、という選択肢しか用意できなかったことにこそ、問題があったのではないか。ここにいつまでたっても解けない原因があったはずだ。つまり、中臣鎌足の出自を解明するには、第三の仮説が必要だったのである。

では、その仮説とは……。

すなわち、中臣鎌足が枚岡の中臣氏でもなく、鹿嶋の中臣氏でもない、ということである。

なぜこのような仮説が飛び出すのか、そして、では、中臣鎌足はどこから来たというのか、少し説明しよう。

『古語拾遺』の訴え

まずここで取り上げたいのは、平安初期の大同二年（八〇七）に記された『古語拾遺』である。

周知のごとく、八世紀から九世紀の藤原氏は、他の豪族を圧倒し、藤原氏が政治を、藤原氏から別れた中臣氏が祭祀を掌握し、国政を運営するために不可欠な双方の権力と権威を支配した。これに対し、平安初期の官人・斎部広成《いんべのひろなり》は、中臣氏の祭祀独占に嚙《か》みつき、『古語拾遺』を記した。

『古語拾遺』の内容は、神代の古伝承、神武天皇から天武天皇にいたる歴代天皇の伝承を記し、さらに、平安初期にいたり、いくつかの古伝承やしきたりが失われたことを指摘し、御歳神《みとしのかみ》の古伝承を付け加え、まとめに斎部広成の憤懣《ふんまん》やるかたない気持ちを書き残したものである。

斎部広成は、じつに激烈な言葉でもって、文書を締めくくる。「愚臣広成」はもうすでに齢《よわい》八十を超え、臣が君を慕う気持はいよいよ切で、今みまかってしまえば、恨みをあの世に持っていくことになってしまうだろう、と記している。その恨みとは、本来神道祭祀の同僚であった中臣氏が、斎部氏を従者のように従えていることだという。

すなわち、もともとは同じ官位の神官であった中臣氏と斎部氏であったが、大化改新以来、中臣氏に権力が集中してしまったのだ。

この結果、どういうことが起きてしまったかといえば、天平時代、神帳《かみのふだ》（各地の祭祀の実態を記録した帳簿）を作ったときは、中臣氏が権力に任せ、小さな神社でも縁のあるものは取り上げ、大きな神社でも、中臣氏と縁のないものは切り捨てられたという。

それだけではない。

八世紀後半になると、中臣氏は、勝手に奏上する詞《ことば》を改変し、自家に有利な働きかけをし、斎部氏を従者に仕立て上げてしまった、というのである。

つまり、大化改新で「政治家」中臣鎌足が出現し、その後の神祇《じんぎ》を中臣氏が独占してしまった、ということなのである。

なぜ中臣氏は神道の伝統を無視したのか

問題は、中臣氏の神祇に対する姿勢である。彼らはただ単に、権力をほしいままにしただけではなかった。

『古語拾遺』の序文には、次のようにある。

未だ文字のない時代、人々は口々に神話や歴史を口承で伝え、けっして忘れることはなかったという。しかし、文字の時代になって以来、人は皆古き時代を語るのを好まず、うわべの華やかさに浮かれ、老人たちを笑っているといい、さらに、次のように述べている。

　顧《かへり》みて故実《こじつ》を問ふに、根源《こんげん》を識《し》ること靡《な》し、国史《こくし》・家牒《かてふ》、其の由《よし》を載《の》すと雖《いへど》も、一《いち》二《に》の委曲《ゐきよく》、猶《なほも》遺りたる有り。

　すなわち、故実を振り返ってみると、今では根源を知ることもなく、国史や家牒（それぞれの家に残された記録）には記録されているといっても、いくつもの詳細は書き漏らしたことがある、というのである。

　斎部広成の訴えは、切実である。そして、その矛先は、中臣氏に向かっているのである。

　さらに、『古語拾遺』には、奇妙な一節がある。

「大化改新の頃までは、まだ人々は純朴で、我が国の神宝が霊験《れいげん》あらたかであることを信じていたものだ」

というのだ。

この一節は重要である。ようするに、中臣氏が勃興《ぼっこう》して、「神道はだめになった」と嘆いているのである。

多くの伝統・伝承が失われたのは、中臣氏の好き勝手な振る舞いが原因であるといっているのである。中臣氏が古い言い伝えや老人たちを嘲笑《あざわら》うようなことをするからだ、と訴えるのである。

ふとここで気付かされるのは、中臣氏が、神代から続く「神祇の家」であるとするならば、なぜ「神道」のあり方を、大きく変えてしまったのか、ということではなかろうか。

それは、神祇にまつわる人事権を掌握し、斎部氏らを低く見ただけのことではない。たとえば『古語拾遺』で広成は、「天爾《あまつしるし》」であり霊験あらたかな草薙剣《くさなぎのつるぎ》を、近頃では軽視していることを嘆いている。このような例を見ても、中臣氏には、故実を尊重し、神代の昔話を尊重する気持ちがなかったことがわかる。

これは不思議な現象である。

藤原（中臣）氏の正統性は、『日本書紀』に示された天児屋命の故事《こじ》による。そして、中臣氏は、神々を祀《まつ》る神祇の家であった。ところが権力を握った藤原（中臣）氏は、いっぽうで、神話を軽視し、好き勝手な神道祭祀をくり広げていた、というのである。

藤原氏は本当に、古き時代の神道祭祀に関わった一族なのであろうか。「藤原の世」が、神話を笑いものにした時代なのだ、という斎部広成の必死の訴えを無視することはできないのである。

なぜ中臣氏は神道と関わっていたのか

神道にゆかりの深い中臣氏が、祝詞《のりと》を勝手に書き換え、神道そのものを改変してしまったのは不可解だ。

そもそもなぜ、中臣氏は神道に関わりをもっていたのだろう。

そのヒントは、平安時代に記された物部系の文書『先代旧事本紀』に記されている。『先代旧事本紀』にしたがえば、中臣氏の祖神・天児屋命は、「天皇家」とではなく、物部氏の始祖・饒速日命とともにヤマトに降り立ったというのである。ちなみに、平安時代中臣氏を糾弾した斎部（忌部）氏の祖神・天太玉命《あまのふとたまのみこと》も、この時天児屋命と肩を並べるようにしてやってきたと『先代旧事本紀』は記している。

『日本書紀』にしたがえば、中臣氏の祖神は物部氏と接点を持っていないのだから、

『先代旧事本紀』の記事とは相容《あいい》れない。だが、現実には、物部氏と中臣氏は、強い絆《きずな》で結ばれている。

物部氏と中臣氏の親密さは、先にあげた六世紀の崇仏派と排仏派の闘争の過程にも見出《みいだ》すことができる。

仏教を導入しようとする蘇我氏に対し、異議を唱え徹底抗戦したのは、ほかならぬ物部氏と中臣氏なのである。

すでに触れたように、敏達《びだつ》天皇十四年三月、物部氏と中臣氏は次のように奏上している。

「陛下はなぜ我々のいう策を用いないのでしょう。先帝（欽明天皇）より陛下に至るまでに、疫病《えきびょう》がはやり、多くの人が死にました。それは、蘇我臣《おみ》が仏法を興《おこ》しているからではありませんか？」

こういって仏法禁止の詔《みことのり》を引き出し、仏教排斥に向かったのである。中臣氏は、明らかに、神道擁護に走ったのであり、物部氏と行動をともにしたのである。

このことは、中臣氏の勢力圏からもはっきりしている。

畿内における中臣氏の勢力圏が枚岡《ひらおか》神社（東大阪市出雲井）の周辺であることは、すでに触れた。このあたり、中河内はいっぽうで、物部氏の密集地帯でもある。例えば、枚岡神社と同じ東大阪市内の石切剣箭命《いしきりつるぎやのみこと》神社の祭神は、天照国照彦火明櫛玉饒速日命《あまてるくにてるひこほのあかりくしたまにぎはやひのみこと》と宇摩志麿治尊《うましまじのみこと》で、物部氏の祖である。この二つの神社の西南側の八尾《やお》市には、物部守屋滅亡事件にまつわる伝承を残す大聖将軍寺《たいせいしょうぐんじ》や、物部系の矢作《やはぎ》神社、弓削神社、跡部《あとべ》神社、渋川神社などが目白押しである。

藤原氏の春日大社で祀られる経津主《ふつぬし》神にしても、すでに触れたが、もともとは物部氏に関《かか》わる神だったとされ、ほぼ定説になっている。

このように、中臣氏と物部氏は、非常に近い関係にあった。そこで問題となってくるのが、中臣氏の仕えた物部氏の正体である。

『日本書紀』にしたがえば、物部氏の始祖・饒速日命は、初代神武天皇の東征以前にヤマトに舞い降り(出身地不明)、土着の首長・長髄彦《ながすねひこ》の妹を娶《めと》り、ヤマトの王として君臨していたという。神武天皇は、ヤマトが青山に囲まれた美しい土地であることを知り、ヤマトこそ都にふさわしいと思い、東征を決意したのである。結果、神武のヤマト入りに長髄彦は抵抗し、かたや饒速日命の子・可美真手命《うましまでのみこと》(宇摩志麻治命)は、神武にヤマトの王権を禅譲《ぜんじょう》したのである。

物部氏の祖は、王権を禅譲しヤマト建国に貢献した。そのため、神武天皇に重用された気配がある。そして、『日本書紀』には描かれていないが、物部氏の活躍のひとつに、「ヤマト朝廷黎明期《れいめい》の宗教観の構築」が挙げられるのである。

物部系の伝承『先代旧事本紀』には、神武天皇の即位の前後、物部氏の祖・宇摩志麻治命（可美真手命）がヤマト朝廷の儀礼、祭祀、しきたりなどを調《ととの》えたとある。

物部氏が中心となってヤマトの「まつりごと」の基礎を築いたという話は、一見荒《こう》唐無稽《とうむけい》のように見えるが、そのじつ、「ヤマトの神道」そのものが、「物部氏のもの」だったのではないかと思えるふしがある。

『日本書紀』も、わずかながら物部氏と神道のつながりを記録している。

実在のヤマト朝廷初代天皇（大王）と目される第十代崇神《すじん》天皇は、疫病や飢饉《ききん》の蔓《まん》延《えん》を憂《うれ》え、占いをした。

結果、夢の中で神託が下りた。内容は、大物主神《おおものぬしのかみ》と活玉依媛《いくたまよりひめ》の子・大田田根子《おおたたねこ》を探し出し、大物主神を祀らせ、また別の者に倭　大国魂神《やまとのおおくにたまのかみ》（大国主神・大己貴神《おおなむちのかみ》）を祀らせれば、必ず天下は泰平《たいへい》になろう、というものである。

さっそく大田田根子を探し出した崇神天皇は、物部連の祖・伊香色雄命《いかがしこおのみこと》を神に捧《ささ》げものをする人に指名し、神を祀るために物部の八十平瓮《やそひらか》（神饌《しんせん》を盛る平たい土器の皿）を造らせ、大田田根子に大物主神を祀らせてみた。すると、疫病の流行はおさまったという。

『古事記』にも同様の記事が載り、やはり意富多多泥古《おおたたねこ》（大田田根子）が三輪の大物主神を祀り、物部氏の祖・伊迦賀色許男命《いかがしこおのみこと》（伊香色雄命）が天の八十平瓮を造り、神を祀ったとある。

これとそっくりな祭りは、神武天皇も行っている。神武天皇が九州からヤマトに入る直前のことである。神武は土着勢力の執拗《しつよう》で強力な抵抗に悩まされた。要衝を固められ、神武は手も足も出なかったのだ。ところがここで、神武は神託を得る。

神はいう。

「天香具山《あまのかぐやま》の社の中の土を取って、天平瓮《あまのひらか》八十枚と厳瓮《いつへ》（神酒《みき》を入れる瓶《かめ》）を造って、天神地祇《てんじんちぎ》を丁重に祀れ。」

そこで、神武は、神託どおりに行動してみた。そして、天神地祇に捧げた供御《くご》を自らも食すと、神の加護を受けることで、絶対に負けることのない体になったと確信するのである。

この神武や崇神の執り行った「平瓮」による祭祀は、大嘗祭《だいじょうさい》や伊勢神宮の祭祀《さいし》に継承されていく。そこでは天皇や神聖な巫女《みこ》が平瓮を積み上げ、神に捧げた供御を自らも食すことで、神と一体化するのである。

そして崇神天皇がその祭儀を、「物部の平瓮」をもって行わせた、という一点が重要である。

日本における強烈な信仰を受けつづけてきた「蛇」という視点でも、物部氏の重要性が確かめられる。

吉野《よしの》裕子《ひろこ》氏は蛇信仰の根源を南方系と位置づけ、さらに、日本における担《にな》い手を物部氏と推測している。

ちなみに蛇足ながら付け加えておくと、「物部」をめぐる伝承には「海」や「船」がみちていて、南方の海洋民族との強い接点と交流を想定できる。それはともかく……。

饒速日命はレガリヤ（王権の証《あかし》）・「羽羽矢《ははや》」を持っていたが、「ハハ」「カカ」は大蛇を意味する古語で、「カカ」が音韻変化し「カグ・カゴ」となり、饒速日命の子の天香語山命の「カゴ」も「蛇」であり、天香具山の土を平瓮にした、という神武天皇の祭祀も、「蛇の山」の呪術《じゆじゆつ》にほかならないとした上で、吉野氏は次のように述べる。

物部氏の「モノ」は、「霊《モノ》」であって、古儀の祭祀においては、蛇の呪力を負い、（中略）祭祀を取りしきる氏族が物部氏だったのではなかろうか。

あるいはまた神話のすり替えは、祭祀のすり替えの可能性も暗示するから、物部氏の祭祀そのものが天皇家によって踏襲されたことも考えられる。この場合も祖神の蛇の呪力《じゆりよく》を担うものとしての物部氏に対する記憶は、そのまま祭祀における物部氏の重用につながるのである（『大嘗祭』弘文堂）。

卓見といわざるをえない。天皇家が物部氏の宗教観を踏襲したという指摘は、無視できないのである。

物部氏の神道における重要性については、次のような話がある。

十一世紀の半ばより明治時代の初めに至るまで、神祇伯《じんぎはく》（朝廷の神道祭祀をつかさどる神祇官の長官）を世襲してきた白川家（白川王家）は、代々「十種神宝御法《とくさのかんだからごほう》」を伝え、明治天皇にもこの秘宝は伝授されたという。

白川家は花山《かざん》天皇の皇子・清仁《すみひと》親王を祖とするが、白川家が伝えた「十種神宝御法」は、もともとは物部氏がヤマトにもたらしたものである。

天神本紀《あまつかみのもとつふみ》（『先代旧事本紀』）によれば、物部氏の始祖・饒速日命が、天神御祖《あまつかみのみおや》から皇位継承の印「瑞宝十種《みずのたからとくさ》」をもらい受けたとある。

瑞宝十種とは、瀛都鏡《おきつかがみ》、辺都鏡《へつかがみ》、八握剣《やつかのつるぎ》、生玉《いくたま》、死反玉《よみがえしのたま》、足玉《たるたま》、道反玉《みちがえしのたま》、蛇比礼《へびのひれ》、

蜂比礼《はちのひれ》、品物比礼《くさぐさのもののひれ》といった十種神宝である。

天神本紀は、もし痛むところがあれば、一から十までかぞえ、「布瑠部。由良由良止布瑠部（ふるへ、ゆらゆらとふるへ）」つまり、十種神宝を振ると、死んだ人間も生き返る、というのである。

これとそっくり同じ呪法は、現在でも奈良県天理市の石上《いそのかみ》神宮に伝わっている。この石上神宮は、もちろん物部氏の氏神を祀る神社である。つまり、天皇家の秘術は、物部氏の秘術そのものだった疑いはつよくなるばかりなのである。

また六世紀、蘇我氏が仏教を積極的に導入するべきだと進言したのに対し、猛烈に反発したのは物部守屋であった。そして、守屋は朝廷の軍勢の前に敗れ去るのである。

ここで注目すべきは、物部守屋の館《やかた》を囲んだ軍勢の中心には蘇我系皇族聖徳太子を筆頭に何人かの皇族が含まれていたことで、天皇家が神道を守ることに積極的ではなかったという一点である。

「神道」が「天皇のための宗教」という固定観念を持っていては、この信仰の本質を見誤るであろう。少なくとも六世紀以前の「神道」とは、物部氏の信仰だったのではないかと思いいたるのである。

物部氏の正体

神道の中心に立っていた物部氏、はたして何者なのだろう。

第一のヒントは、名の中に隠されているように思われる。

物部は「モノノフ」とも読み、この一族は朝廷の軍事を掌《つかさど》るものどもと考えられてきた。だが、「モノノベ」「モノノフ」の「モノ」には、もうひとつ大切な意味が隠されている。

多神教の原形となったアニミズムは、万物に精霊が宿るという信仰だ。したがって日本人は、ありとあらゆる物、現象、森羅万象に、精霊や神は宿ると信じていた。このため、「モノ（物）」は、「神」と同意語となったのである。「物《もの》の怪《け》」といえば、「憑《つ》き物」を意味するのは、このような背景と関わりがある。

また、多神教世界において、「神」は大自然と同意語であり、豊穣《ほうじょう》をもたらすとともに、時に暴れ回った。神話の中で同一の神に「和魂《にぎみたま》」と「荒魂《あらみたま》」の二面性が表現されているのはこのためである。

ようするに神道とは、祟《たた》りをおこし暴れ回る「荒魂」を鎮《しず》めて、豊穣をもたらす

「和魂」に変身してもらうという作業でもあったのだ。また、「神」の本質は、「災害をもたらす恐ろしい大自然」なのだから、「モノ」は後に「鬼」と同意語になったのである。

　物部氏が「鬼」とみなされていたことは、彼らの祖に鬱色雄命《うつしこおのみこと》や伊《い》香色雄命《かがしこおのみこと》がいたことからも明らかだ。彼らの名には「シコ」が組み込まれているが、「モノ」のみならず「シコ」もまた「鬼」を意味している。物部氏は「鬼の一族」であり、それはなぜかといえば、彼らが「神に近い一族」だったからである。

　そして、このような宗教観の中で、「モノ」や「シコ」を名にもつ物部氏が、神道と密接な関係にあったことは、むしろ当然のことなのであり、ヤマトの宗教観を、物部氏の祖が構築したという『先代旧事本紀』の記述を無視することはできないのである。

　そこで、物部氏の正体を明かすための第二のヒントが浮上してくる。それが、ヤマト建国の考古学である。

ヤマト建国に活躍した諸地域

前方後円墳という現象からも、このあたりの事情はご理解いただけるであろう。ヤマトに前方後円墳が出現したのは、三世紀半ばとも、三世紀初頭とも言われている。問題は、初期の前方後円墳には、北部九州に見られるような豪奢《ごうしゃ》な副葬品は見られなかったということである。やや時間をおいて、ヤマトに北部九州の土器が流入し、ほぼ同時に、前方後円墳の中に北部九州で見られるような副葬品が添えられたのである。

ちなみに、考古学は、この段階以降の前方後円墳をさして「定型化した前方後円墳」と呼び、それ以前の前方後円墳と区別している。

それはともかく、前方後円墳は、各地の首長層がヤマトに集まり、新たな埋葬文化を誕生させようとした信仰上の一大事件だった。それまでは、日本列島それぞれの場所で、思い思いの埋葬文化を競い合っていたのである。それを、一つの形式にまとめ上げ、全国（といっても東北南部までだが）に画一化された信仰形態を拡《ひろ》げ、緩やかな統一国家体制を築いたものといえよう。

宗教観の統一の象徴こそが、前方後円墳であり、仮に「神道」という信仰形態が実在するならば、ヤマト朝廷がめざした、このような思惑そのものを、「神道」と定義することができるのではあるまいか（もっとも、「神道」という言葉はあまり古いものではなく、また、日本人の信仰をまとめて「神道」と片づけるのは危険なのだが、便宜上「神道」という言葉を使ってみる）。

したがって、「九州」がやってくる直前、すでに出雲《いずも》、吉備《きび》、ヤマトがまとまり、前方後円墳の原形を作り上げていたことが重要である。九州はその原形にもう一つの要素、豪奢な副葬品を加えたにすぎないのであって、新たな潮流を根底から覆《くつがえ》したわけではないのである。それどころか、「九州」は、新たな潮流に乗り遅れまいと、焦《あせ》ってヤマト入りした気配すら漂うのである。

すると、いずこからともなくヤマトにやってきた物部氏の祖は、出雲か吉備からやってきたということだろうか。

そこで注目しておきたいのは、「出雲」である。

すでに触れたように、崇神天皇の時代、物部氏は重要な祭祀を任せられたが、このとき物部氏が祀った神は出雲神であった。すると、物部氏と出雲の間に、何か接点が隠されているのだろうか。だいたい、「出雲神」とは何者なのだろう。

神話の中に占める「出雲」の割合は、非常に大きいものであった。素戔嗚尊の高天原における狼藉《ろうぜき》、素戔嗚尊の出雲建国、天孫族の出雲の国譲りと、神話の三分の一以上の記述が、出雲に費やされている。

もっとも、出雲が神話にあるような重要な地域であったかというと、「現実はちがう」というのが、つい最近までの一般的な考え方であった。

これは、弥生《やよい》時代からヤマト建国の三世紀にかけて、考古学的に見るべきものがほとんどなかったことと無縁ではない。つまり、神話の活躍を証明するような物的証拠《お》がなかったのである。このため、「出雲」は、ヤマトの反対概念として創作された御伽話《とぎばなし》にすぎないと考えられるようになったのである。

ところが、一九八四年七月に、島根県簸川《ひかわ》郡斐川《ひかわ》町の地中から銅剣三百五十八本が発見され（神庭荒神谷《かんばこうじんだに》遺跡）、さらに翌年には、本来一緒に埋められるはずがないと考えられてきた銅鐸《どうたく》六個と銅矛《どうほこ》十六本が発見され、弥生時代の出雲に、大量の青銅器が存在したことが確かめられたのである。

また、一九九六年には、島根県雲南市加茂《かも》町の加茂岩倉遺跡で、三十九個もの銅鐸が発見された。それまでの一つの遺跡からの出土例としてはもっとも多い数であり、考古学界の常識を覆《くつがえ》し、出雲の弥生時代に、注目が集まったのである。

そして、三世紀のヤマト建国のいきさつが明らかになるにつれ、出雲の重要性は、高まっていくことになる。「出雲」は「ヤマト朝廷」を構成する四つの勢力のなかのひとつである。

不比等が神話に葬《ほうむ》った出雲は実在した

出雲といえば、出雲大社が名高い。

この神社の創建は謎《なぞ》に包まれているが、『古事記』にしたがえば、出雲の国譲りに際し、出雲の大国主神は、国を譲る見返りに、壮大な宮殿を建てることを要求した。それが杵築《きつき》大社（出雲大社）だったという。『出雲国風土記』は、八束水臣津野命《やつかみずおみのつののみこと》が国引きを行い、そののちに神々が集まって、大神の宮＝大国主神の宮殿を建てたのだという。

また、『日本書紀』斉明天皇五年（六五九）是歳《ことし》の条には、出雲国造《くにのみやつこ》に命じて「神の宮」を造らせたとあり、これは出雲郡の出雲大社かあるいは意宇《おう》郡の熊野大社のことであろうと考えられている。

出雲大社がいつ頃今の地にたてられたのかは不明だが、西暦九七〇年頃成立した

『口遊』には、有名な「雲太、和二、京三」という言葉が残されている。当時の建築物の中で、出雲大社が最も大きく、次に奈良（和＝大和）東大寺の大仏殿、平安京大極殿が三番目だ、というのである。この時の大仏殿の高さが十五丈で、出雲大社には、かつて十六丈（四八・四八メートル）の巨大神殿が建っていたと伝えられている。大昔はその倍あったともいうが、それはにわかには信じがたい。十六丈の建造物についても、かつては信じられていなかった。

ところが、古い社殿あとから、巨大な柱と柱穴が見つかり、十六丈の神殿が実際に存在した可能性が出てきたのである。直径一・三五メートルの木材三本を束ね、一本の柱にしていたことがはっきりしたからである。一本の柱の直径が三メートルとなれば、相当な建造物が想定できるからである。

出雲は実在したのである。そして、平安時代に至っても、出雲は畏敬《いけい》の対象であった。ところが不思議なことに、神話時代ののち、歴史時代に入ったとたん、『日本書紀』の中で「出雲」はぱったりと姿を消してしまうのである。藤原不比等が出雲という「史実」を神話の世界に葬ってしまったというのであろうか。

歴史上、出雲とかかわる重要人物といえば、出雲国造家《こくそうけ》と、その流れを汲《く》む野見宿禰《のみのすくね》（土師氏《はじし》）、土師氏の末裔《まつえい》の菅原道真《すがわらのみちざね》が知られるぐらいであろうか。

いったい、「出雲」はどこに消えてしまったのだろう。

不可解なのは、ヤマト朝廷が、「出雲」を恐れつづけた、という事実である。すでに述べたように、『日本書紀』や『古事記』によれば、第十代崇神天皇の時代、朝廷は三輪の出雲神・大物主神を丁重に祀ったという。

神話の架空の存在と信じられてきた出雲が、その後も朝廷の厚い祭祀を受け、近代にいたっても姿勢が変わらなかったのである。

では、出雲とは何者なのだろうか。かつて筆者は、ヤマトの物部氏こそが、出雲神の末裔ではないかと考えたのである。

なぜそう思ったのか、要点だけを簡潔にまとめておこう。要は、物部氏と出雲には、いくつも接点が見いだせる、ということなのである。

『日本書紀』の記述を信じれば、物部氏はヤマト建国以来、朝廷の中枢《ちゅうすう》に位置し、八世紀初頭まで、ヤマトでもっとも権威ある一族として君臨したのである。

ところが、この一族がいったいどこからやってきたのか、どうにもはっきりしない。『日本書紀』は、物部氏の祖・饒速日命《にぎはやひのみこと》は、天磐船《あまのいわふね》に乗って天から降りてきたという。

では、どこからやってきたのか……そのヒントは「ヤマトに来た順番」にあるのではあるまいか。

繰り返すが、饒速日命は、神武東遷《とうせん》の直前、どこからともなくヤマトに降臨し、土着の首長と合体し、ヤマト朝廷の基礎を築いた。そして、最後に、九州から神武天皇がやってきたのである。

　そこで「出雲」に着目すると、興味深い事実に気付かされる。というのも、ヤマト朝廷誕生以前に、すでに出雲からヤマトに入っていた神がいたと『日本書紀』は証言しているからだ。

　それが三輪山に祀られる大物主神で、この神は出雲の国譲りの直前ヤマトに入り、しかも崇神天皇は、大物主神を「ヤマトを造成した神」とたたえているのである。

　神社伝承から古代史を再構築しようと試みた原田常治《つねじ》氏は、物部系の伝承『先代旧事本紀』に、饒速日命の諡号《しごう》が天照国照彦天火明櫛玉饒速日命《あまてるくにてるひこあまのほのあかりくしたまにぎはやひのみこと》とあること、各地の神社で、大物主神が饒速日命とよく似た名で祀られていることを指摘している。たとえば、栃木県栃木市の大神《おおみわ》神社の祭神は、倭大物主櫛甕玉命《やまとおおものぬしくしみかたまのみこと》という。このことから、両者は本来同一だったのではないかと指摘した（『古代日本正史』同志社）。

　大物主神も饒速日命も、神武天皇のヤマト入りの直前、「造成していた」ことになるから確かに両者に接点が見いだせることになる。

　だが、ここから話は厄介なことになる。というのも、考古学は、ヤマト建国後に出雲の地域が没落していたと指摘し、『日本書紀』は、出雲を潰《つぶ》すために派遣されたのが、物部氏の祖だったと記録しているからである。

神話の世界でも、出雲に派遣され国譲りを強要したのは経津主命《ふつぬしのみこと》であった。この神が物部系であること、また、のちに中臣氏が鹿島神宮から勧請していたことは、すでに触れてある。

すると、原田常治氏の推理をそのまま素直に受けとめることはできなくなる。物部氏の出身地探しは、こうして振り出しに戻るのである。

物部氏は吉備からやってきた？

もう一度、神武東征以前のヤマトの姿を、『日本書紀』の記述から追ってみよう。

まずヤマトには、出雲神大物主神が祀られていた。のちに崇神天皇は、この神を「ヤマトを造成した神」とたたえるのだから、現実の「出雲」は、ヤマト建国に何かしらの活躍を見せたのだろう。その大物主神のつぎにヤマトにやってきたのが、物部氏の祖・饒速日命であった。ただし、この人物がどこからやってきたのか、『日本書紀』は明言を避けたのである。

もし仮に、神武東征以前の神話を、「ヤマト建国前史」とみなすことができるなら、『日本書紀』は重大なミスを犯していることになる。というのも、神話の舞台は出雲と南部九州に限定されているが、これではヤマト建国にもっとも貢献した地域が抜け落ちているからだ。それはどこかといえば、吉備である。

三世紀の纒向《まきむく》遺跡に集まった土器の中で、吉備からもたらされたのは特別な土器だった。それは特殊器台《きだいがた》形土器と特殊壺形《つぼがた》土器で、前方後円墳の墳丘上で執り行われる首長霊祭祀に用いられた。さらに、前方後円墳はいくつもの地域の埋葬文化が習合して成立したが、原形はすでに、吉備に出来上がっていたとされている（楯築弥生墳《たてつきやよいふん》丘墓《きゅうぼ》）。

つまり、前方後円墳の型と前方後円墳の墳丘上で行われる祭祀様式の基礎を築いたのが吉備であり、それはなぜかといえば、吉備がもっとも発展していたからだろう。なぜ吉備が力をもっていたのかというと、瀬戸内海の流通を支配することができたからである。

問題は、なぜ『日本書紀』が、神話から吉備を排除してしまったのか、ということである。神武東征説話の中でも、吉備は神武の滞在地でしかない。吉備を代表する豪族といえば、吉備氏の名があがるが、『日本書紀』の中で、彼らのめぼしい活躍はない。前方後円墳の原形を造り、ヤマトの祭祀形態の基礎を築いたのが吉備であったという考古学の指摘と『日本書紀』の記事は、食い違っている。その理由は、『日本書紀』が吉備の正体を抹殺したかったからではなかったか。

ではその、吉備からやってきたヤマト建国の立役者とはいったい誰だろう。ここで俄然《がぜん》、候補者として浮上してくるのは、出身地が明らかにされていなかった物部氏の祖・饒速日命である。この男、吉備からやってきたのではあるまいか。

零落した物部の神を横取りした中臣氏

物部氏と吉備を結びつける傍証は、いくつかある。ただし、このあたりの事情は、拙著『物部氏の正体』（東京書籍）の中で詳述しているので、簡潔にのべておく。

物部氏の祖・饒速日命は、神武東征よりも早くヤマトに舞い降り、神武に王権を禅譲していた。物部氏はヤマト建国にもっとも貢献した一族であり、当然、政権の中枢《ちゆうすう》ヤマトの盆地に留まることも可能だったろう。ところが、なぜか物部氏は、ヤマトよりも河内《かわち》を重視している。物部守屋が河内で滅んだのは、物部氏が河内に拠点をもっていたからである。

その河内からは、三世紀（ようするにヤマト建国の時代）の吉備の土器が大量に出土している。どうやら吉備は、河内を拠点にしていたようだ。河内は瀬戸内海とヤマトを結ぶ中継地点であるとともに、河内潟《かわちがた》から淀川《よどがわ》をさかのぼり、東国に抜ける交通の要衝であった。瀬戸内海の流通を牛耳《ぎゅうじ》り、その利権を武器にしていたのが吉備ならば、河内を重視するのは、むしろ自然の成り行きだった。とすれば、河内の物部は、吉備そのものである。

このように、物部氏が吉備出身であり、ヤマトの埋葬文化（ようするに神道である）の基礎を築いていたとすれば、多くの謎が解けてくる。

なぜ物部氏が、神道に深く関与していたかといえば、ヤマトの宗教儀礼を整えたのが、「吉備」だからだろう。物部氏とともにヤマトにやってきた中臣氏が神道とつながっていたのは、物部氏が神道の中心に立っていたからと察しがつく。

さらに、藤原（中臣）氏が独裁権力を握った後、なぜ東国からわざわざ物部系の神・経津主命を勧請して来たのかといえば、「没落した物部」から、「零落した神」を奪い取る目的があったということになる。

ただ、これだけで謎が解けたわけではない。八世紀以降中臣氏は、物部氏の神を横取りしただけではなく、藤原氏は神道の伝統をことごとく無視していくのである。

もっとも分かりやすい例は、三種の神器にまつわる話である。

藤原不比等が黒作懸佩刀《くろつくりかけのはいとう》を持ち出したわけ

すでに触れたように、斎部広成は、『古語拾遺』の中で、中臣氏が天皇家の三種の神器の一つ、草薙剣を軽視し、ろくに祀りもしなくなってしまったと憤慨していた。なぜこのようなことになってしまったかといえば、おそらく、黒作懸佩刀を藤原不比等が持ち出したことと無縁ではなかろう。

黒作懸佩刀の話は、『東大寺献物帳《けんもつちょう》』に載っている。それによれば、はじめ持統《じとう》天皇の皇子・草壁《くさかべ》が常に持ち歩いていたこの刀を、草壁皇子は藤原不比等に賜ったのだという。草壁皇子の死後、持統天皇が即位し、さらに草壁皇子の子・文武《もんむ》天皇の即位に際し、不比等はこの刀を献上した。慶雲《けいうん》四年（七〇七）文武天皇崩御に際し、ふたたび黒作懸佩刀は不比等に下賜《かし》され、そして不比等は、首皇子《おびとのみこ》（聖武天皇）に献上した、というのである。

奇妙な話である。

黒作懸佩刀は、皇太子草壁から不比等に、不比等から文武天皇に、文武天皇から不

■ 第3の仮説とは？ ■

藤原不比等の怪しい行動

1. なぜ神話と神道祭祀を使い分けたのか？

2. なぜ「出雲」を神話の世界に封じ込めたのか？
   ||
   物部氏の神道 ◀••• 藤原氏自らの正統性を証明するために邪魔になった

3. なぜ草薙剣《くさなぎのつるぎ》を軽視して黒作懸佩刀《くろつくりかけのはいとう》を重視したのか？
   - 草薙剣……… 天皇家の三種の神器のひとつ
   - 黒作懸佩刀… 不比等が文武即位の際に献上し、崩御後は下賜され、それを再び聖武天皇に献上する

   ↓

   藤原の天皇の誕生を正当化するために

↓

不比等の出自の謎はここにあった

比等に、不比等から聖武天皇にと、藤原の息のかかった皇太子や天皇の橋渡しを演じている。まるで、黒作懸佩刀こそが、草壁から孫の聖武に至る、皇位継承のレガリヤであるかのようだ。いったい、三種の神器という最も重要な神宝を差し置いて、なぜここで得体の知れぬ刀が登場しているのだろうか。

かりに、藤原氏が神道祭祀にもっとも近い一族なのであれば、過去の権威を否定するこのような小道具を用意したであろうか。黒作懸佩刀のような姑息《こそく》な手段によって藤原の天皇の誕生を正当化しなければならなかったのだとすれば、藤原氏は、本当の「神道」から疎外《そがい》されていたのではあるまいか。ここにいうほんとうの神道とは、物部と出雲の作り上げた信仰形態である。

草薙剣は天皇家の三種の神器の一つだが、元をただせば神話の中で、出雲神の祖・素戔嗚尊が八岐大蛇《やまたのおろち》を退治し、その尻尾《しっぽ》の中からみつけてきた神宝である。これが天皇家の手に渡ったのは、饒速日命の十種神宝と同じ意味をもっていたからに違いない。その、出雲の神宝を、藤原不比等は否定してかかったことになる。

とするならば、本当に藤原氏は『日本書紀』のいうように、天児屋命の末裔なのであろうか。

ここで改めて注目したいのは、中臣鎌足である。

中臣鎌足は、忽然《こつぜん》と『日本書紀』に姿を現した。無位無冠の人間が、なぜいきなり神祇伯抜擢《ばってき》という僥倖《ぎょうこう》を得たのであろう。それ以前の中臣鎌足は、いったい、どこで何をやっていたのであろうか。

超一流の豪族・物部氏と密接な関係にあり、だからこそ朝廷の祭祀と深くかかわっていたこの一族は、なぜ物部氏との因果を『日本書紀』のなかで否定してしまったのであろう。

結論を先に言ってしまえば、中臣鎌足は、当時朝鮮半島の百済《くだら》から人質として来日していた、百済王・豊璋《ほうしょう》その人ではないかと、筆者は考えている。

なぜそういえるのか、このあたりの事情は、藤原（中臣）氏が急速に権力の頂点に登りつめることができた理由とともに、次章で検証してみたい。

第三章　律令制度で日本のすべてを私物化した藤原氏

できないからである。

日本の律令《りつりよう》を整備したのは藤原氏だった

中臣鎌足《なかとみのかまたり》の出自を前章であえてはっきりさせなかったのは、七世紀から八世紀にかけての律令制度の整備の過程を見直さなければ、藤原氏の正体をはっきり示すことができないからである。

なぜ中臣鎌足は蘇我入鹿《そがのいるか》暗殺を急いだのか、壬申《じんしん》の乱で没落したはずの藤原不比等《ふじわらのふひと》が、どのようにのし上がることができたのか、また、その後の藤原氏が朝堂《ちようどう》を独占し、日本を私物化することができたのはなぜか。これらはすべて、「律令」の本質を知ることで、明快になってくるのである。

律令は刑法の「律」と、行政法・訴訟法の「令」からなる。要するに律令は明文化された法律であり、中国の隋《ずい》や唐で完成したものを、ヤマト朝廷が模倣し、形の上では江戸時代末期までこの国の行政を支配してきた制度である。

ちなみに、律令制度は土地制度改革でもあった。それまで認められていた土地の私有は原則的に否定され、農地はいったん国家のものとなり、人々に再分配されるシステムだった。支配する土地の大きさによって発言力を堅持していた豪族層は、律令の

■ 日本を支配してきた「律令制度」とは？ ■

律　令 •••▶ 中国の隋や唐の制度をヤマト朝廷が模倣し、江戸時代末期まで日本の行政を支配してきた制度

律 ⟶ **刑法**

令 ⟶ **行政法・訴訟法**

↓

土地制度の改革でもあり、土地の私有は原則として否定され、農地はいったん国家のものとなり民衆に再配分されたシステム

▼

支配する土地の大きさにより影響力を行使してきた豪族層の困惑

▼

聖徳太子が「冠位」制を導入

土地を取り上げるかわりに、豪族の実力に見合った権力と権威を保証した

完成によって、官位と役職の差に一喜一憂していくことになる。逆にいえば、能力次第では、それまでにない出世も可能になったのである（もちろん原則的には、ということになるが）。

それはともかく、日本における律令整備の過程で、中臣（藤原）氏は大きな役目を担《にな》った。

まず第一に、中臣鎌足は蘇我入鹿を暗殺することで、大化改新《たいかのかいしん》の道をひらいた。これから述べるように、この改革事業こそ、日本における律令制度の端緒とされている。

さらに、中臣鎌足の子の藤原不比等は、天武《てんむ》天皇・持統《じとう》天皇によって作られた飛鳥《あすか》浄御原令《きよみはらりよう》を踏襲し、大宝《たいほう》律令を完成させた。

この不比等の業績こそ、律令制度事業の完成を意味していたとされているのである。

つまり、中臣鎌足が律令制度の基礎を築き、子の不比等が完成させたのが、日本の律令制度だったことになる。

なぜ中臣（藤原）氏は、律令の整備に大活躍したのだろう。

そこですこし、日本の律令の歴史をおさらいしておこう。

部《べ》民《みん》制と屯倉《みやけ》制

すでに触れたように、三世紀に誕生したヤマト朝廷は、各地の首長層の緩やかな連合体というべきものであって、大王（天皇）は、強力な権力というものを持っていなかった。言いかえれば、大王もひとりの豪族なのであって、周囲の首長層に「共立」されている、という表現がふさわしかった。

したがって、全国の土地は、有力な豪族層に牛耳《ぎゆうじ》られ、六世紀にいたると、豪族同士の土地の奪い合いが激しさを増していたのである。

豪族は、それぞれの「氏《うじ》（氏族）」という構成単位を作り、氏上《うじのかみ》（首長）を頂点に、血縁関係を築き、氏神を祀《まつ》り、また、血縁関係のない氏人たちを統率し、私有民で職能集団の部曲《かきべ》（部民）や奴《やつこ》（奴婢《ぬひ》）を支配し、姓《かばね》（連《むらじ》や臣《おみ》など）を朝廷からもらい受けていた。

いっぽう大王家は、子代《こしろ》・名代《なしろ》・品部《しなべ》という私有民（部民）を支配していたが、このなかの品部は、豪族層が大王家への奉仕のために差し出した人々で、大王家はその見返りに、豪族層の部曲の私有を許していた。これがいわゆる部民制であり、五世紀には確立していた。

このような状況だったから、七世紀以前のヤマト朝廷の実態は、中央集権とはほど遠く、強固な地方分権、あるいは、豪族層主導の政治運営といって間違いなかった。

もっとも、五世紀、朝鮮半島の動乱にヤマト朝廷が積極的に介入するようになると、ヤマトの大王家も一目置かれるようになり、中国南朝から称号を獲得していくようになる。これがいわゆる倭《わ》の五王《ごおう》で、『日本書紀』の記述に従えば、倭王は、次第に力を蓄えていった気配がある。雄略《ゆうりやく》天皇（倭の五王の五番目・武王《ぶおう》と考えられている）が、王位を獲得するために血の粛清を行い、多くの皇族・豪族が犠牲になった。こののち、雄略天皇と豪族層が反目し、天皇にしたがう豪族は、ごくわずかであったという記事が、『日本書紀』にはある。

天皇家と豪族の確執の全貌《ぜんぼう》は明らかでないが、五世紀末から六世紀の初頭には、北陸から応神天皇五世の孫を招き寄せ、即位させている（継体《けいたい》天皇）。この様子からみても、大きな政変が起きていたことがわかる。

五世紀の東アジアは寒冷期であったらしく、中国の南北朝時代の南朝でさえ、北緯三十二度の地点に、氷蔵室を設け、食料を保存していたことがわかっている。当然、北方に住む民族は、食料生産可能な地を求めて南下する。倭の五王の時代、さかんに高句麗《こうくり》が南下政策を採ったのも、このアジアを包み込んだ寒冷化と無縁ではない。

日本でもこの頃、生活習慣に大変化が起き、西日本にカマドが出現する。おそらく、朝鮮半島から大量の人々が流入したことが原因であろうとされている。そして当然、豪族層にも、大きな影響を与え、三世紀来繁栄を誇ってきた首長層のなかには、ここで没落していくものも少なくなかった。

東アジアの寒冷化のピークは六世紀前半にやってくる。一般には六世紀から十二世紀にかけてが温暖化の時代とされてきたが、鈴木秀夫氏は『気候変化と人間』（大明堂）のなかで、近年の科学的データを再検討すると、だいたい七世紀ごろからが温暖期と判断するべきだと指摘している。

五世紀六世紀がこのような状況だったから、当然社会不安は広がったであろうし、ヤマト朝廷は、中央集権化に向けた何かしらの政策を打ち出さねばならぬ状況に追いやられていたと考えられる。

ここでヤマト朝廷は、新たな方策を練る。

それが屯倉制で、各地の国造《くにのみやつこ》に献上させた土地を天皇家の直轄《ちよっかつ》領とした上で国造に管理させ、そこから上がった収穫を、天皇家に納めさせるようになった。

直轄領を増やす過程では、反乱を起こした豪族や国造の土地を奪い取ったりと、けっこう手荒な手段も採られたようである。

屯倉制と部民制の違いを端的に言ってしまえば、豪族層に品部をさしだしてもらう状態から、自ら独自の財源を持つようになったということになろう。大王家の発言力は、飛躍的に高まったはずである。

とはいっても、六世紀の段階で、豪族層は私利私欲から、領土の拡大を謀《はか》り、互いにせめぎ合いをするようになっていた。そのため、社会不安が増大し、国家は疲弊していくのである。

このあたりの事情は、大化改新の詔《みことのり》の中に、示されている。

いにしえより、天皇の代ごとに名代を置いて直轄領にしてきたが、それを管理する伴造《とものみやつこ》や国造らは、自分の部曲を置いて、好き勝手に使っている。また、土地を無断で割いて自分の財産とし、奪い合いが続いている。しかもその土地を今度は百姓に売ったかと思うと、その収穫から上前をはねている。

というのである。

このような混乱を収めなければ、流動化する東アジアで、ヤマト朝廷は没落するだけであったろう。

こうして、五世紀の部民制、六世紀の屯倉制と変遷《へんせん》し、そして七世紀、律令制度導入の道がひらかれるのである。

聖徳太子が先鞭《せんべん》を付けた律令制度

日本の律令制度導入は、まず聖徳太子が手をつけた。世に名高い冠位十二階、憲法十七条は、聖徳太子の律令制導入のための布石なのである。

屯倉を整備し、王家の発言力が増したといっても、豪族層に部曲と土地の私有を認めていたから、王家の力も限定的である。だから、いったん全国の土地を国家の所有とし、改めて分配する公地公民の制度が求められた。

だが、豪族層の力の源泉である土地を、どうやって奪い取ることができるのか……。

そこで必要となってくるのが、豪族層に、それまでの実力に見合った権力と権威を保証するためのシステムであり、それが「冠位」にほかならなかった。

またいっぽうで、冠位制を導入することで、「人事査定」をする王の力も増大され、さらには、世襲化され硬直化した人事を刷新し、実力のあるものを引き上げ、豪族層に競争意識を芽生えさせるという利点も、このシステムにはあったはずである。そして、そのシステムの頂点に立つのが「大王（天皇）」であることを、憲法十七条ははっきりと謳《うた》い上げたのである。

もっとも、冠位十二階も憲法十七条も、本当に聖徳太子の業績であったかというと、じつに疑わしい、という説がある。

しかし、どのような形であれ、聖徳太子が、律令制度の基礎を固めようと努力していたことにはちがいないだろう。

そして問題は、聖徳太子が志半ばでこの世を去ると、豪族層の反発と巻き返しが起きていたことである。

つまり、『日本書紀』の記事をそのまま信じるならば、蘇我蝦夷《えみし》や入鹿の専横は、既得権の死守を目的にしたものと考えられる。豪族層の立場を代弁し、聖徳太子のめざした新システムの導入につよく抗《あらが》った、ということになる。

そして、この蘇我氏のわがままを、中大兄皇子《なかのおおえのみこ》と中臣鎌足が許さず、誅殺《ちゆうさつ》したのが乙巳《いつし》の変であり、こののち、すぐさま大化改新という律令制度の画期が訪れた、というのが、『日本書紀』の描いた図式であり、これまでの通説であった。もちろん、大化改新の理想は、やがて藤原不比等の大宝律令に受け継がれるのであって、藤原（中臣）氏の律令整備に対する功績の大きさは、誰もが知るところである。

蘇我氏は律令潰《つぶ》しに走っていない？

ところが、これまでの常識を疑う意見が飛び出してきている。

蘇我氏が大王家をないがしろにし、律令制度の導入に反発したという構図は実態からかけ離れている、というのである。

というのも、六世紀の天皇家の直轄領・屯倉の設置にもっとも貢献していたのが蘇我氏だったからである。

なぜ蘇我氏が天皇家の直轄領を増やすことに積極的だったかというと、蘇我氏は大王家と姻戚《いんせき》関係を結び、大王家と一体化することで、大王の権威を利用し、自家の繁栄を築いたからである。欽明天皇の皇子・皇女のなかで、母が蘇我出身の者は、用明《ようめい》天皇・推古《すいこ》天皇・崇峻《すしゅん》天皇と、六世紀後半から七世紀にかけての飛鳥の王朝は、「蘇我の天皇」で彩《いろど》られていた。もちろん、聖徳太子の母も、蘇我氏である。

したがって、蘇我系天皇家の繁栄と蘇我氏の繁栄は、切っても切れない関係にあったわけである。

■『日本書紀』が描いた図式（通説）とは？■

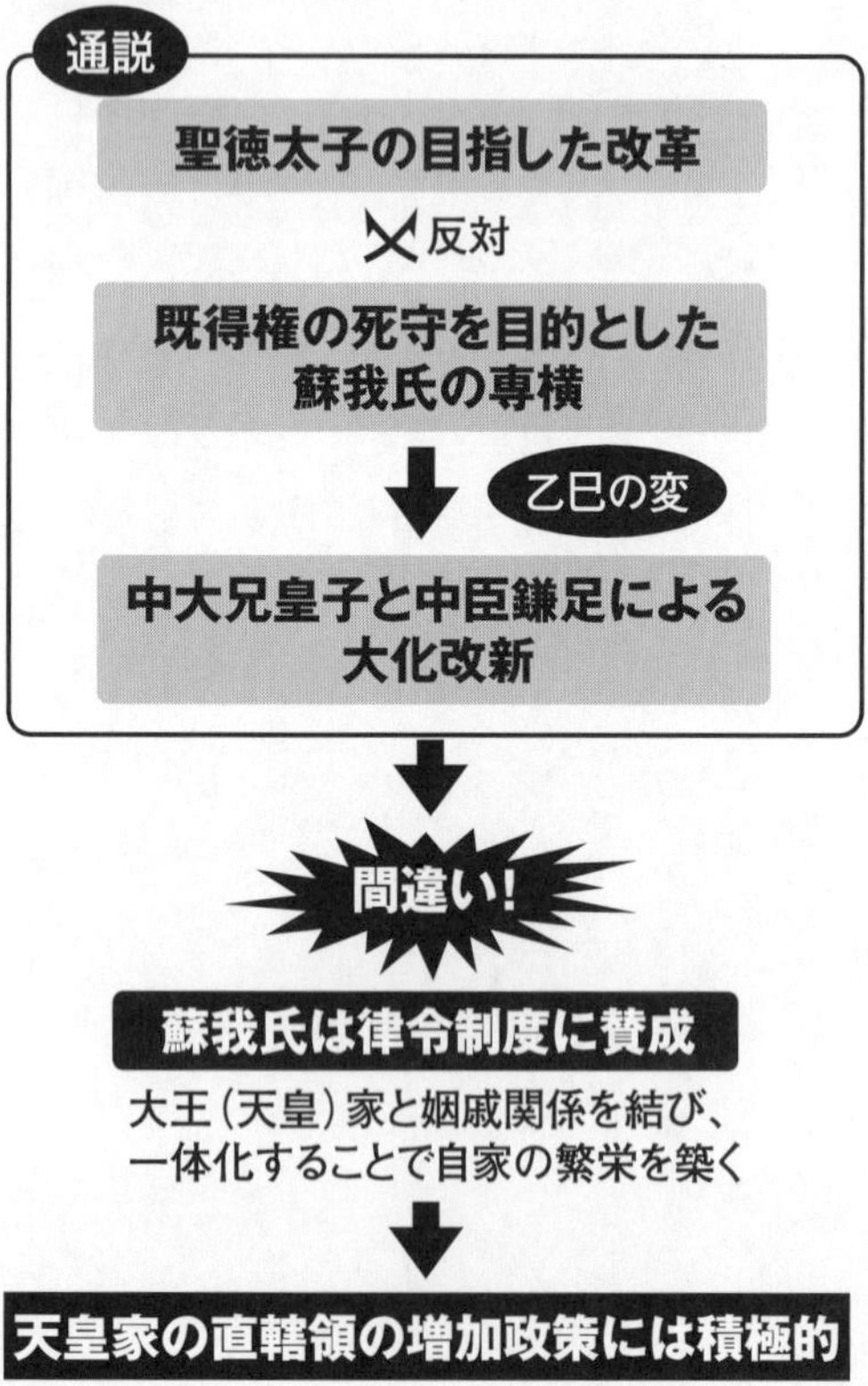

通説
聖徳太子の目指した改革
反対
既得権の死守を目的とした蘇我氏の専横
乙巳の変
中大兄皇子と中臣鎌足による大化改新
間違い！
蘇我氏は律令制度に賛成
大王（天皇）家と姻戚関係を結び、一体化することで自家の繁栄を築く
天皇家の直轄領の増加政策には積極的

このあたりの事情を、遠山美都男《みつお》氏は『大化改新』（中公新書）のなかで、

蘇我氏は、あくまで王権に依存・寄生する存在として生まれた。

とのべ、だからこそ、

蘇我氏が大王家に対抗し、果てに王権を簒奪《さんだつ》しようと企てたなどとは到底考えがたい。

とするのである。

はたして、蘇我氏が自家の繁栄だけを願って屯倉を増やしたのかといえば、それだけではないと思うのだが、少なくとも、遠山氏の指摘するように、蘇我氏が王家の安寧を願っていたことはたしかであろう。

このことは、乙巳の変ののちの政局からも読みとれる。

入鹿暗殺ののち、中大兄皇子は中臣鎌足の進言を入れて即位を断念している。こうして皇極天皇の弟の軽皇子《かるのみこ》が即位した。孝徳《こうとく》天皇の誕生である。

孝徳天皇は、大化改新の詔を発したことで知られる天皇だ。すなわち、改新政府は、入鹿を殺し、一気に律令制度導入に突き進んだと、『日本書紀』は言う。

しかし、どうにも不可解である。

孝徳天皇は、蘇我寄りの皇族であった疑いがつよいからである。

例えば『上宮聖徳太子伝補闕記《じょうぐうしょうとくたいしでんほけつき》』は、蘇我入鹿が山背大兄王《やましろのおおえのみこ》一族を滅亡に追い込んだ際、孝徳天皇（軽皇子）は蘇我入鹿の軍に混じっていたというし、即位後、反蘇我の巨頭・中大兄皇子とはことごとく対立していた。

孝徳天皇は崩御後、奈良盆地の西のはずれの二上山《ふたかみ》のさらに西側の王陵の谷に葬《ほうむ》られるのだが、この地は聖徳太子をはじめ、飛鳥蘇我系皇族の墓が密集する場所で、蘇我と血脈がないのにこの地に葬られたのは、聖徳太子の腹心の小野妹子《おののいもこ》と孝徳天皇だけなのである。

孝徳天皇の姉・皇極天皇に至っては、乙巳の変の蘇我入鹿暗殺場面で、蘇我入鹿が斬《き》りつけられたのを見て、ひどく狼狽《ろうばい》し、息子の中大兄皇子を叱責《しっせき》している。

皇極・孝徳の姉弟は、蘇我的な発想をもった皇族であった可能性が高い。

大化改新の裏側

この推理を裏付けるのは、大化改新政府が、難波京《なにわ》への遷都《せんと》を急いだことである。入鹿暗殺の半年後に、孝徳天皇は難波に移るのだが、クーデターで政権を転覆したのにもかかわらず、奈良盆地を捨て難波に移動することは、常識では考えられない。

というのも、奈良盆地に長く都が置かれたのは、この地が天然の要害だったからで、瀬戸内海方面から進入する外敵を、生駒《いこま》・葛城《かつらぎ》山系を楯《たて》に阻止できたのである。蘇我本宗家《ほんそうけ》を倒したとはいえ、蘇我系豪族が数多《あまた》残るヤマトを捨て、新王朝が難波に移れば、それこそ、一気に攻め落とされるのがおちであろう。

なぜ孝徳天皇は、難波に遷都したのであろう……。それは、この王朝が蘇我氏の遺志を継承した政府であったと考えれば、謎《なぞ》が解ける。

当時ヤマト最大の豪族に成長していた蘇我氏の後押しをうけ、流通・情報・外交を展開するのにヤマトよりすぐれた難波の地を選んだ、ということであろう。難波には防衛上の欠点があったが、その逆に、古代交通の要《かなめ》、海（瀬戸内海）に面し、政局が安定していさえすれば、首都を置くに、理想的な地の利を持っていたのである。

つまり、中大兄皇子らの蘇我入鹿暗殺は、蘇我政権の要人暗殺にとどまったのであり、体制を崩壊させるに至らなかった、ということであろう。屯倉制の整備の延長に、律令制度を導入しようと目論《もくろ》んだのは蘇我氏であり、その意志を引き継いだのが孝徳天皇の政権であったとすれば、彼らが難波遷都を目論んだ理由もすっきりする。

近年の研究では、難波京の遷都は『日本書紀』の記述ほど早くなかったのではないかと疑われ始めているが、遷都の目論見や計画は、かなり早い段階で進んでいたはずである。

『日本書紀』には、孝徳天皇が都を難波に遷《うつ》したとき、「春から夏にかけてネズミが難波に向かっていったのは、都を移す兆《きざ》しだった」と人々が話し合っていたと記録する。ここにいう春から夏とは、乙巳の変で入鹿が殺される直前のことであり、『日本書紀』は、難波遷都計画が蘇我入鹿存命中から俎上《そじょう》に上っていたことを暗示しているのである。

こうして「律令整備」の歴史から見てくると、『日本書紀』の描いた乙巳の変の蘇我入鹿暗殺の図式に、疑念が湧《わ》いてくるのである。

中臣鎌足の正体を知るために遠回りしたのは、まさにこの点なのだ。律令整備のために入鹿が邪魔になったという図式が崩壊するならば、中臣鎌足はなぜ入鹿を殺す必要があったのか。この謎を解く必要がでてくるのである。

乙巳の変の原因は外交問題だった?

そこで『日本書紀』の記述を思い出せば、蘇我入鹿の死を唯一《ゆいいつ》嘆き悲しんだ、古人大兄皇子《ふるひとのおおえのみこ》の言葉と分注に興味を覚えざるをえない。

「韓人《からひと》、鞍作臣《くらつくりのおみ》を殺《ころ》しつ。吾《わ》が心痛《こころいた》し。」

蘇我入鹿が韓人に殺された。胸が張り裂けそうだ……とあり、分注（カッコ内）では、ここにある「韓人」は「韓政」を意味している、というのである。

もちろん、この一節が謎であることは、すでに触れた（28ページ参照）。

しかし、こうしてみてくると、中臣鎌足が入鹿を殺したのは、律令や王家の安寧を求めたからではなく、「外交問題のいざこざ」が原因であった疑いがでてくる。というのも、中大兄皇子は孝徳天皇の死後実権を握ると、律令の整備などには目もくれずに、すでに一度滅亡していた百済《くだら》を再興するために、ヤマト朝廷を滅亡の危機へと陥れる無謀な遠征に突き進んでいるからである。

この時民衆が中大兄皇子を批判し、誹謗《ひぼう》中傷が飛び交い、しきりに不審火が起きたことは、すでに触れた。

じっさい、百済の衰弱は乙巳の変の前から進行していたにもかかわらず、当時のヤマト朝廷（要するに蘇我氏の発言力が強まった政府）は、隋・唐や新羅《しらぎ》と友好関係を結び、百済救援に積極的ではなかった。

なぜ蘇我氏が百済に冷ややかであったかというと、それまでの伝統的な百済一極外交が、改革事業の足かせになっていたからだ。また、当時の国際情勢からみて、隋や唐になびくのが自然だったからである。

隋が国土を統一する以前、中国大陸では、長い間混乱が続き、複数勢力が互いを牽《けん》制《せい》し、覇を争っていた。人口は激減し、国力は疲弊していた。だが、隋や唐が国土を統一し、中国王朝の影響力が周辺諸国におよびはじめたから、朝鮮半島だけに気をとられているわけにはいかなくなったのである。

たとえば朝鮮半島南東部の新羅は長い間弱小国であったが、唐と強い絆《きずな》を結ぶことによって急成長し、宿敵百済を圧倒しようとしていたのである。

隋や唐から先進の文物を学ぶことで改革事業を成し遂げようとしていた蘇我氏は、衰退著しい百済を見限ったのであろう。

すると、なぜ中臣鎌足が、蘇我入鹿暗殺を中大兄皇子にそそのかし、積極的に乙巳

■「乙巳の変」の謎とは？■

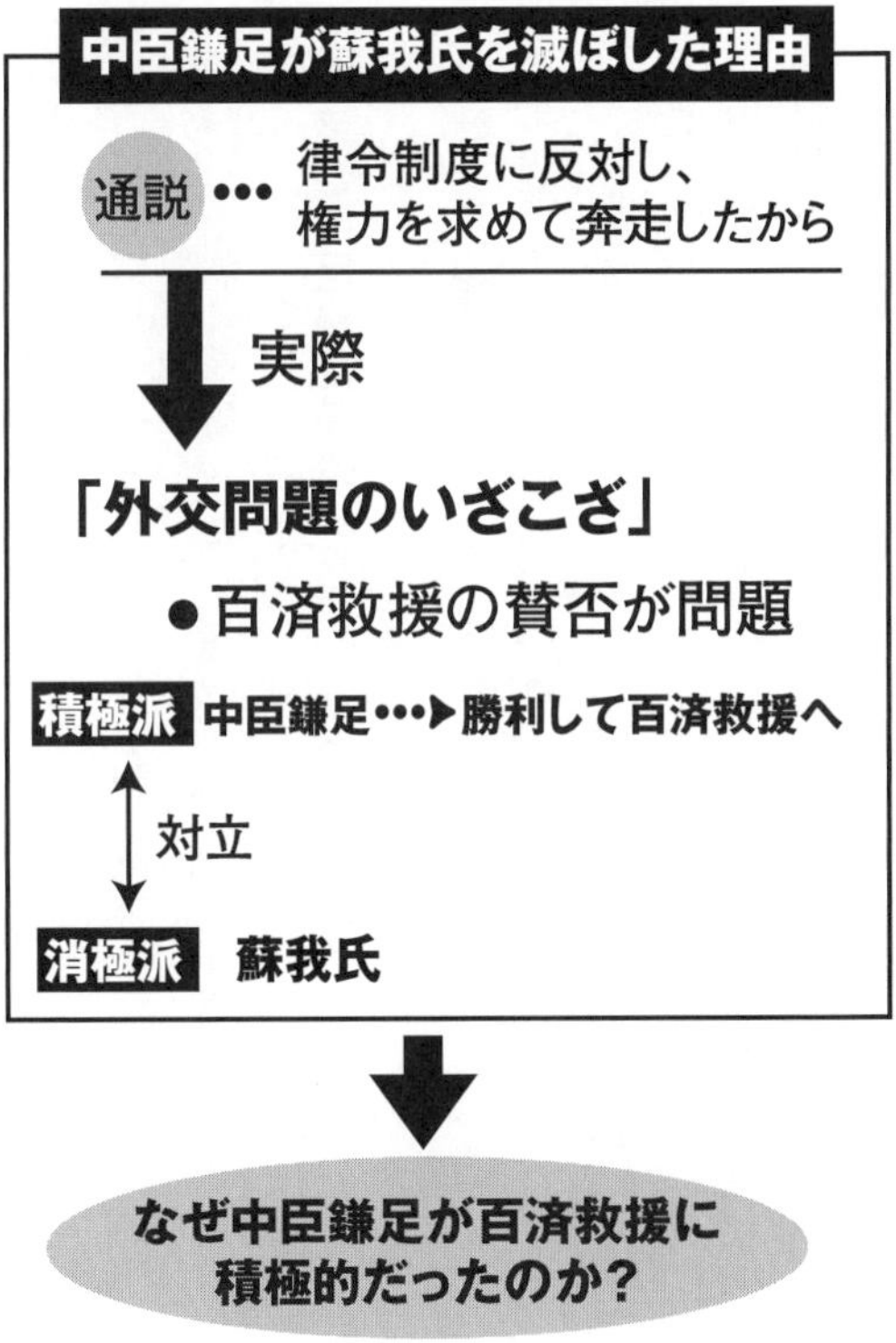
中臣鎌足が蘇我氏を滅ぼした理由
通説…律令制度に反対し、権力を求めて奔走したから
実際
「外交問題のいざこざ」
●百済救援の賛否が問題
積極派 中臣鎌足…▶勝利して百済救援へ
対立
消極派 蘇我氏
なぜ中臣鎌足が百済救援に積極的だったのか？

の変に参加したのか、という疑念が生まれるのである。

そこでひとつの推理が生まれる。中臣鎌足こそが、当時人質として来日していた百済王（王子）豊璋《ほうしょう》（余豊《よほう》・余豊璋《よほうしょう》）その人ではないか……。中臣鎌足が百済王豊璋だったからこそ、ヤマト朝廷の百済遠征の最大の障害となっていた蘇我本宗家を倒したかったのではないか、という推理である。

百済王豊璋と中臣鎌足の接点

それでは、豊璋と中臣鎌足に接点はあるのだろうか。

まず、中臣鎌足が歴史に登場した時期と、豊璋の来日時期の重なりである。『日本書紀』は、舒明《じょめい》三年（六三一）三月、百済の義慈王《ぎじおう》の子・豊璋（豊章《ほうしょう》）が、人質として来日した、と記している。これに対し、中臣鎌足の初出は皇極三年（六四四）の中臣鎌足の神祇伯《じんぎはく》任命記事である。この間十三年の差があるが、豊璋来日後に中臣鎌足の記事の初出がある点は間違いない。

問題は次の一点である。

斉明《さいめい》六年（六六〇）九月、百済は使者をヤマト朝廷に遣わした。この年の七月に新

■ 豊璋と中臣鎌足は同一人物？ ■

百済王「豊璋」と
中臣鎌足の
驚くべき一致点

	豊　璋	中臣鎌足
日本書紀初出	舒明三年（六三一）三月、百済人として来日	皇極三年（六四四）正月、神祇伯固辞
日本での冠位	織冠	大織冠
離日及び謎の失踪	斉明七年（六六一）九月、百済復興のため帰国。白村江の戦い（六六三）ののち行方不明	豊璋帰国中及び天智三年（六六四）まで消息不明。ただし、藤原氏の伝承では日本にいたという
政策	百済復興	鎌足以降、藤原氏の盛衰と百済系移民の日本での地位は奇妙なほど一致している

羅と唐の連合軍が百済を攻め滅ぼしたこと、君臣は皆囚《とら》われの身となったが、鬼室福信《きしつふくしん》が百済王家を再興しようと立ち上がり、奮戦しているというのだ。

さらに十月の条には、その鬼室福信が、人質として来日していた豊璋を召喚し、新たに王に立てたいと申し出て、さらに、ヤマト朝廷に救援を求めてきた、とある。

このため翌年の九月、中大兄皇子は織冠《しょっかん》を豊璋に与え、本国に送り返したのである。

豊璋はその鬼室福信らに擁立《ようりつ》され、百済の王となる。だが、豊璋は鬼室福信の人気の高さを嫌い、謀叛《むほん》の疑いで捕らえ殺してしまう。知将を失った百済は、ヤマト朝廷の水軍の援軍を得ながら天智《てんじ》二年（六六三）九月滅亡。『三国史記《さんごくしき》』には、豊璋は白村江《はくそんこう》の戦いの後脱出したが、行方しれずとなってしまったとある。

これに対し『日本書紀』は、白村江の戦いの後の豊璋の行方について、

　百済の王《こきし》豊璋、数人《あまたひと》と船に乗《の》りて、高麗《こま》に逃《に》げ去《さ》りぬ。

と記録する。ここにいう高麗は、高句麗《こうくり》のことである。

だが、これはおかしい。

白村江の戦いの直前、豊璋は白村江のほとりの州柔城《つぬさし》に籠城《ろうじょう》し、孤立していたが、

これを救援するためにヤマトの水軍は白村江にむかった。問題は、新羅の軍勢が州柔城を包囲する直前、豊璋はヤマトの水軍が救援に駆けつけたことを知り、

「将軍らを饗応《きようおう》しなければならない。みなはしっかりとこの城を守るように」

と言い残し、州柔城を脱出。ヤマトの水軍と合流してしまったと『日本書紀』は記録する。これは敵前逃亡であり、残された城兵はたまったものではない。守るべき王が消えたのである。

それはともかく、豊璋はヤマトの水軍と行動をともにし、白村江の大敗を目撃した。その豊璋が、なぜ高句麗に逃げることがあろうか。ヤマトの水軍は敗戦後対馬《つしま》をめざしたであろう。豊璋は、日本での生活が長い。いざというとき、「まずは高句麗に」という発想が浮かんだであろうか。しかも、ヤマトの水軍に守られているのである。自然な感情として、第二の故郷、日本をめざしたはずではなかったか。

白村江の戦いで姿をくらました中臣鎌足

いっぽうの中臣鎌足は、孝徳天皇最晩年の記事のあとぱったりと『日本書紀』から姿をくらます。

再登場するのは、白村江の戦いののち、ヤマト朝廷が滅亡の危機に立たされた真っ最中である。

天智三年（六六四）五月、百済を占領した唐の鎮将（地方軍の長）が郭務悰《かくむそう》を日本に派遣し、筑紫《つくし》にとどまった。十月には、中大兄皇子が郭務悰に勅《みことのり》を伝えさせ、さらに「中臣内臣《うちつまへつきみ》（中臣鎌足）」が筑紫に人を遣わして郭務悰に「物を賜ふ」つまり、贈り物をした、というのである。

これが、中臣鎌足の白村江前後の動きである。

まったく不可解な事態と言わざるを得ない。

中臣鎌足は中大兄皇子の忠臣であり、常に近侍していたはずである。しかも、『日本書紀』は藤原不比等の強い影響力の元に記された歴史書だ。もし中臣鎌足が白村江の戦いという、日本史上最大の危機に中大兄皇子の元で活躍したとすれば、必ずや『日本書紀』はその様子を克明に記したにちがいない。いや、中臣鎌足の武功、あるいは知将としての活躍を粉飾を交えて書き連ねねばならなかった。それにもかかわらず、どこにも中臣鎌足の姿が見られないというのは、どうにも不自然である。

『大織冠伝《たいしよつかんでん》』には、高句麗の王が中臣鎌足に手紙を送り、中臣鎌足を国の棟梁《とうりよう》とおだてたとある。これが事実とすれば、唐と新羅の連合軍の前に息も絶え絶えだった高句麗が、中臣鎌足の知略とヤマト朝廷の加勢に一縷《いちる》の望みを託していた、ということになろう。そんな鎌足が、本当に白村江の戦いで、中大兄皇子の参謀として参戦しなかったなどということが信じられようか。

『日本書紀』には、中臣鎌足は死の直前、天智天皇（中大兄皇子）が見舞うと、次のように語ったと記録されている。

「生きては軍国《おほやけ》に務無《つとめな》し」

すなわち、私は軍略で貢献できなかった、と嘆いているのである。

中臣鎌足に起きた大きな戦といえば、乙巳の変と白村江の戦いである。乙巳の変では大活躍したのだから、中臣鎌足の言葉としてはふさわしくない。

とすれば、中臣鎌足は白村江の戦いで活躍できなかったことを嘆いているのだ。それは「やむを得ぬ事情で参加できなかったこと」を嘆いているのか、それとも、参加したが、作戦をしくじったのか、そのどちらかであろう。

さらに、『大織冠伝』は、白村江の戦いの前後の中臣鎌足の行動を記録している。

斉明天皇が瀬戸内海を西に進み筑紫の朝倉　橘　広庭宮《あさくらのたちばなのひろにわのみや》で百済救援の策を練ったこと、ところが斉明天皇が病の床に伏せり、中臣鎌足は、病気平癒を祈願した、という。

しかし、中臣鎌足の願いも空《むな》しく、斉明天皇は朝倉宮に崩御すると、皇太子（中大兄皇子）が称制《しょうせい》（即位しないまま政務をとること）を始めた。

ここで中大兄皇子は、中臣鎌足を評して次のように語ったという。

すなわち、唐、高句麗、百済、新羅には、知略に富んだ名将がいるが、内臣（中臣鎌足）に比べれば、遠くおよばない、というのだ。

翌天智二年（六六三）には、皇太子（中大兄皇子）が摂政《せっしょう》となったこと、そして中大兄皇子が中臣鎌足を以下のように礼賛《らいさん》したと記す。

二人は義においては忠臣と君の関係だが、礼においては、師友であり、お互いに尊敬し合う間柄である。外に出れば同じ車に乗り、もどってくれば、敷物を接して常にともにいて膝《ひざ》を寄せ合い親密である。寛大な政策、人々を慈《いつく》しむ心が、天下を覆《おお》い、その威は海外にも知れ渡った。したがって、朝鮮半島の国々は、みな我が国にしたがい、我が国は安寧なのだ、とする。

つまり、『大織冠伝』は、白村江の戦いに際し、中臣鎌足は中大兄皇子にぴったりと寄り添い、けっして離れることはなかった、といっているのである。

ただ不審なのは、白村江の戦いに、中臣鎌足がどのように関わったのか、具体的な記述がまったくないことである。

『大織冠伝』の記述は、どこまで信用できるのだろう。

『大織冠伝』の不思議な記述

ところですでに触れたように、『日本書紀』と『大織冠伝』の間に、記述の矛盾はほとんど見いだせなかった。ただ、数少ない矛盾の一つに中臣鎌足の「活躍した時期」というものがある。

『日本書紀』の中臣鎌足初出記事は、皇極三年（六四四）の神祇伯任命記事で、この時中臣鎌足は再三固辞し、結局三嶋《みしま》（大阪府三島郡）に退居してしまったとある。これに対し『大織冠伝』は、岡本天皇（舒明天皇、在位六二九～六四一）の治世のはじめ、「良家の子に錦 冠《きんのこうぶり》を授けた」とあり、この時中臣鎌足は固く辞退し、三嶋に去ったという。

つまり、『日本書紀』と『大織冠伝』の間には、三嶋に中臣鎌足が隠遁《いんとん》した時期に、およそ十年の開きがあることになる。

ほとんど『日本書紀』の記事を踏襲した『大織冠伝』が、どうして『日本書紀』と矛盾する記述を行ったのであろう。

矢嶋泉《やじまいずみ》氏は『藤氏家伝　注釈と研究』（吉川弘文館）のなかで、

正史の記述はすでに権威を発効しており、自家の所伝に拘泥《こうでい》するのはあまり意味がない。

として、この『大織冠伝』の記事に疑問を抱き、『日本書紀』が「神祇伯」任命記事であるのに対し、『大織冠伝』の方は具体的な職掌を挙げていないこと、『大織冠伝』の記事が『日本書紀』の書き換えであるとすると、時代設定の相違が説明できないことなどから、二つの記事は、

異なる内容と考える以外にあるまい。また、そう理解することによって三嶋退居の時期に関する両書の齟齬《そご》も解消する。

というのである。

しかし、本当にそうなのだろうか。

『日本書紀』は百済王豊璋の来日記事ののちに、中臣鎌足の初出記事を持ってきた。いっぽう『大織冠伝』は、三嶋への退居は『日本書紀』の記事が間違いで、じっさい

にはそれよりも十年早かったといっているのである。このように書きかえるのにはわけがあったはずで、藤原仲麻呂《なかまろ》は、必要に迫られて記事を造作せざるを得なかったと考えられる。

問題は、舒明天皇の治世のはじめにはまだ豊璋は来日していなかったことで、『大織冠伝』の言うように、このときすでに「中臣鎌足が日本にいた」のならば、豊璋＝中臣鎌足説が成り立たなくなることである。

これはアリバイ工作である。

中臣鎌足が豊璋であった証拠

豊璋と中臣鎌足が同一であった疑いを強めるのは、『日本書紀』の意外な記述である。

乙巳の変で中大兄皇子らに加担した蘇我倉山田石川麻呂《くらやまだいしかわのまろ》は、クーデターののち、謀叛《むほん》の嫌疑をかけられ、滅亡する。その直後、中大兄皇子の妃となっていた蘇我倉山田石川麻呂の娘・遠智娘《おちのいらつめ》が、父の死を聞き嘆き悲しむ。しかも、父の屍《しかばね》が無惨《むざん》にも切り刻まれたこと、その実行犯の名に「塩」がついていることから、「塩」を忌《い》み嫌い、

■ 中臣鎌足が豊璋であった証拠とは？ ■

1.「醢《すし》」（塩漬け）の首

鎌足が蘇我倉山田石川麻呂《そがのくらやまだいしかわのまろ》の首を塩漬けにした

↓

日本にはない風習

↓

来日中の豊璋の「知恵」

↑

豊璋も鬼室福信《きしつふくしん》を塩漬けに

2.正式な官職なし

中大兄皇子の懐刀でありながら、
なぜ要職に就かなかったのか？

↓

鎌足には日本国籍がなかった

「百済人の大臣」への拒絶

ついには発狂して命を落とすのである。

じつをいうと、蘇我倉山田石川麻呂を追いつめた犯人は中大兄皇子本人と思われるのだが、遠智娘はなぜ「塩」につよく反応したのだろう。『日本書紀』の説明は不自然である。

ヒントは意外なところにある。

すでに触れたが、白村江の戦いで、豊璋は知将・鬼室福信を斬《き》り殺していた。鬼室福信の人気の高さを妬《ねた》んだのである。

問題は、そのあとで、豊璋は鬼室福信の首を「醢《すし》」にしている。「醢」とは、塩漬けのことで、罪人を晒《さら》し者にするために防腐処置をするわけである。大陸の風習であり、当時の日本にはなかった。

さて、遠智娘の父・蘇我倉山田石川麻呂は自害したが、中大兄皇子の遣わした兵士たちは、雄叫《おたけ》びを挙げて遺骸《いがい》を切り刻んだ。なぜ切り刻んだかといえば、それは肉片を「醢」にするためであろう。そして、中大兄皇子がそれを遠智娘に見せていたならば、遠智娘の発狂の意味がすっきりとわかる。遠智娘は「塩」にまぶされた惨《むご》たらしい父の姿を見て、「塩」を忌み嫌い発狂したのだろう。そして、死体を塩漬けにする、という風習のない日本でこのような残酷な仕打ちがされていたとするならば、それは、人質として来日していた豊璋の「知恵」であった疑いがつよくなる。その豊璋とは、もちろん中大兄皇子の懐刀《ふところがたな》、中臣鎌足である。

中臣鎌足は乙巳の変ののち、内臣《うちつおみ》に任命され、生涯この職掌《しょくしょう》を守り通した。内臣は、法律で保証された正式な職務ではない。臨時職なのである。のちに律令が整備されても事情は変わらなかった。奈良時代、長屋王の台頭を恐れた藤原氏は、藤原不比等の子の房前《ふささき》を内臣の座にすわらせた。この時も臨時職であり、あくまで令外《りょうげ》の官《かん》だったのである。

乙巳の変で大活躍し、中大兄皇子の懐刀であった中臣鎌足が、なぜ左大臣、右大臣といった、正式な役職につくことができなかったのであろう（ただし、死の直前、名誉職的な意味合いを持つ「大臣の位」を授かってはいるが、ほとんど「追贈」のようなイメージだろう）。

中臣鎌足の子・藤原不比等は、どうした理由からか、右大臣にまで昇りながら、最高位の左大臣に昇ることはなかった。すでにこの時、不比等は天皇家を思い通りに動かすことができたにもかかわらず、なのである。その代わり、左大臣を空席にすることで、名を捨て実を取ったのである。

この不比等のはばかり、そして、中臣鎌足の内臣。どうにも理解しがたい。

鎌足の場合、「連姓貴族《むらじせいきぞく》」が「大臣の位」につくことはできないという慣習がひとつの理由だったかもしれない。しかし最晩年、天智の独断でようやくその念願が叶《かな》った。このような無理を押し通せるのなら、もっと早く、本当の「大臣の位」を中臣鎌足に授けるべきであった。それができなかったのはなぜだろう。

中臣鎌足・藤原不比等死後の天平《てんぴょう》十三年（七四一）二月十四日に出された勅（『類《るい》聚三代格《じゅうさんだいきゃく》』巻三）の中に、「藤原氏先後太政大臣」という言葉が見える。これは、藤原鎌足、藤原不比等、両太政大臣という意味である。

天平時代の朝廷は、天下の藤原の始祖たちが、内臣であったり右大臣である「不自然」に気付き、勅のなかで、二人を太政大臣として追認し顕彰《けんしょう》した、ということであろうか。

それほど、中臣鎌足が内臣のまま生涯を閉じたこと自体が異常なのである。

しかし、鎌足に「日本国籍がなかった」と仮定すると、謎ではなくなる。

つまり、他の豪族層の反発も手伝い、また、慣習がなかったからこそ、「百済人の大臣」は拒絶されたのではあるまいか。

百済王の中臣鎌足への贈り物

中臣鎌足が豊璋であった傍証はいくつか挙げることができる。

まずすでに触れたように、乙巳の変の入鹿暗殺直後の、古人大兄皇子の言葉である。

「入鹿を韓人《からひと》が殺した」

とこの男が叫び、それを繕うように、『日本書紀』は「韓人」は「韓の人」ではなく、「韓政」を意味している、とした。入鹿暗殺の首班グループに「韓人」が混じっていたことは、かなり世に知れ渡った話で、『日本書紀』の編者はその巷間《こうかん》の噂《うわさ》を、「韓政《からひとのまつりごと》」という言葉で誤魔化したのではあるまいか。

それだけではない。『日本書紀』は、朝鮮半島の国々を、明確に差別化している。つまり百済の宿敵、新羅と伽耶《かや》を鬼呼ばわりしている。

藤原不比等は壬申の乱で没落し、天武王朝は不比等を干した気配があるが、その天武王朝は新羅と友好関係を結ぼうとした。ところが藤原氏が台頭すると、日本の朝廷は新羅を蔑視《べっし》し、軽視した。その挙げ句、藤原仲麻呂は、ほぼ独裁体制を敷き終えると、何を思ったか唐突に新羅征伐計画を打ち出している。

なぜこの時期に新羅を討たなければならなかったのかという深い謎を残したが、祖国を滅亡に追い込んだ宿敵に対する恨みが仲麻呂に残っていたとすれば、これも謎は霧散する。

藤原氏の盛衰と百済遺民《いみん》の命運はまるで「運命共同体」のように、同じ動きを示している。これも、藤原氏を「百済系」とみなすことで了解できる。

『東大寺献物帳《けんもつちょう》』は東大寺に献納された品の中に、百済国の義慈王《ぎじおう》が内大臣（中臣鎌足）にプレゼントした赤漆《あかうるし》の槻《つき》の木の厨子《ずし》を挙げている（赤漆槻木厨子一口、右百済国義慈王進於内大臣）。厨子の中には、犀角《さいかく》・鎮子《ちんす》・合子《ごうす》が納められていた。

百済の義慈王は豊璋《ほう》の父で、新羅に侵攻し、領土を拡大することに成功するが、その後自堕落な生活に溺れ、ついに西暦六六〇年、唐と新羅の連合軍の前に敗れ、ここにいったん百済は滅亡し、義慈王は唐に連行され病死するのである。

本当に件《くだん》の宝物が義慈王から中臣鎌足に贈られたのだとすれば、斉明天皇六年（六六〇）、百済の鬼室福信が日本に救援を求めたとき、あるいはそれ以前に宝物を中臣鎌足はもらい受けていたことになろう。

ただし、『日本書紀』を読むかぎり、中臣鎌足と義慈王の間に贈り物をやりとりするほどの親密さを見出《みいだ》すことはできないし、この話がもし本当ならば、『日本書紀』

が取り上げなかったのはかえって不思議である。だが、義慈王と中臣鎌足が親子であったとすれば、謎は消える。

奈良県北葛城《きたかつらぎ》郡広陵《こうりょう》町百済《くだら》に、百済寺があって、この寺は、はじめ聖徳太子が熊凝精舎《くまごりしょうじゃ》をたて、さらに舒明天皇が百済大寺にしたのがはじまりとされる。現在では鎌倉中期の三重塔が残されるが、境内には、春日若宮《かすがわかみや》なる神社があり、また、中臣鎌足が丁重に祀《まつ》られている。

この一帯は中世以降中臣鎌足を祀る多武峰《とうのみね》の所領であったためか、すぐそばの「曾我《そが》」の集落とはすこぶる仲が悪かったという。「百済寺」で「中臣鎌足」が祀られ、「曾我（蘇我）」と仲が悪かったのは、単なる偶然ではあるまい。

藤原千年の基礎を築いた藤原不比等

中臣鎌足と豊璋のつながりを深く追い求めたのは、藤原氏が百済出身の「よそ者」であり、「成り上がり者」だったことがわからなければ、その後の彼らの行動の「原理」が読み解けないからである。

そこでいよいよ、藤原氏千年の基礎を築いた、藤原不比等について考えてみたいのである。

あらためて述べるまでもなく、大友皇子《おおとものみこ》の即位を願っていた中臣鎌足と天智天皇の死の直後、壬申の乱が勃発《ぼっぱつ》し、大海人皇子《おおあまのみこ》が天智の子・大友を討ち滅ぼし、藤原氏は没落した。

藤原不比等はまだ満十三歳だったから、戦闘に参加したかどうかは定かではない。しかし、近江《おうみ》朝の崩壊、天武王朝の誕生と、不比等にとっては不遇の時代が訪れていたはずである。

藤原不比等が正史に登場するのは、持統三年（六八九）二月のことで、判事《ことわるつかさ》（刑部省《ぎょうぶしょう》の官人で、不比等は従五位下相当）に任命された者たちの中のひとりとして記録されている。

文武《もんむ》朝で刑部《おさかべ》親王を補佐し、大宝律令の製作に没頭したことはよく知られる。そして、大宝律令（七〇一年施行）によって、日本の律令制度はほぼととのったのである。

このように、不比等の前半生は、律令整備に注がれたといっても過言ではなく、この十数年がなければ、のちの藤原氏の繁栄があったかどうか、じつに心許《こころもと》ない。藤原氏は、律令を支配することで、大きく成長することができた一族だからである。

したがって、大化改新以後の律令制度の歩みを辿《たど》れば、藤原不比等の正体があぶり出されてくるのである。

律令は、七世紀に整備が進み、八世紀の初頭に完成した。なぜこれほど時間がかかったかといえば、法律を書き上げ、たかだかと掲げればそれで済むというような生やさしいものではなかったからである。

朝廷における秩序立ては官位と役職によって厳密に規定するとしても、土地の私有を認めない代わりに、豪族層たちに俸禄《ほうろく》を与えなければならず、その他の国家予算にも、税収が必要となる。

百姓に平等に土地を配るのは、そこから出る余剰米と労働力を「税」として徴収するためで、そのためには、全国津々浦々に生活する人間の頭数を掌握しなければならない。

歴史の授業で習った「戸籍」を作る、という作業がこれである。

さらに朝廷は、広大な領土を持っていた豪族層から土地を奪い取らなければならない。土地を取られた豪族は、その見返りを求めてこようし、不平不満がでてくることもあっただろう。その調整にも時間がかかったはずであり、豪族が反旗を翻《ひるがえ》せば、朝廷そのものが瓦解《がかい》する危険すらあった。

当然、律令整備は困難を極め、何度も挫折《ざせつ》を味わったのである。例えば、孝徳天皇《こうとく》の改革事業を、中大兄皇子と中臣鎌足がせせら笑うかのように潰《つぶ》している。

改革事業を潰しにかかった中臣鎌足

大化改新政府を主導した孝徳天皇は最晩年、白雉《はくち》四年（六五三）是歳《ことし》の条《じょう》に、次のような歌を残している。

鉗着《かなきつ》け　吾《あ》が飼《か》ふ駒《こま》は　引出《ひきで》せず　吾《あ》が飼《か》ふ駒《こま》を　人見《ひとみ》つらむか

要約すれば、鍵《かぎ》をかけ引き出しもせず大切に飼っていた私の馬はどうしたろう。私の馬を、どうして人が見たのだろう、といったところか。

一般にこの歌は、孝徳天皇の皇后で、中大兄皇子の妹の間人皇后《はしひとのきさき》が、中大兄皇子と共に孝徳天皇を捨てて飛鳥にもどってしまったことを嘆いた歌とされているが、裏にはもっと複雑な事情がある。

遡《さかのぼ》ること二年、白雉二年是歳の条には、新羅の貢調使《こうちょうし》が来日して筑紫にとどまったが、この時使者は「唐の国」の服を着ていたという。つまり、新羅が唐の属国になり果てた、というのである。

ヤマト朝廷は、新羅使の身なりに機嫌を損ね、これを憎んで、叱責《しっせき》し追い返した。

この時左大臣巨勢徳陀古臣《こせのとこだこのおみ》は、

「まさに今新羅を討たねば、のちに必ず後悔するでしょう」

と進言している。

だが、孝徳天皇は動かなかった。

孝徳天皇は、百済に積極的に加担しようという腹づもりはなかったのである。だからこそ、中大兄皇子らは孝徳天皇を見放し、官僚たちを引き連れ、飛鳥に強引にもどってしまったわけである。

孝徳天皇にすれば、律令整備事業がはじまったばかりであり、内政の充実で頭がいっぱいだった、ということになろうか。これに対し、中大兄皇子や中臣鎌足は、「一刻も早い百済救援を」と迫っていたにちがいない。

孝徳天皇は白雉四年五月に、側近の僧が危篤《きとく》に陥ったとき、

「もし法師が今日亡《な》くなれば、私は明日死のう」

と嘆いたという。

中大兄皇子や中臣鎌足は、大化改新政府の誕生の直後から、政敵に「謀叛《むほん》」の濡《ぬ》れ衣《ぎぬ》を着せ、次々に倒してきたといういきさつがある。孝徳政権を悩ませたのは、優秀な人材の枯渇《こかつ》であったろう。中大兄皇子らにすれば、律令整備に対する不満分子をそそのかせば、簡単に孝徳朝を潰すことができたわけである。孝徳天皇の悲嘆の原因もここにあった。

その証拠に、孝徳天皇崩御後、実権を握った中大兄皇子が律令制度の充実に本気で心血を注いだかというと、大いに疑問が残る。

中大兄皇子がめざしたのは百済救援であり、飛鳥の周辺にさかんな土木工事を行ったと『日本書紀』にあるのも、百済遠征の準備であったことは、他の拙著の中で述べたとおりだ（『古代史謎解き紀行Ⅰヤマト編』ポプラ社）。

ただし、白村江の戦（六六三）ののち、天智天皇は律令制度のために一肌脱いだとされている。たとえば『大織冠伝』（『藤氏家伝』）には、天智七年（六六八）に中臣鎌足に命じ、律令（近江令）を定めさせた（原文「刊定《かんてい》」）という記事がある。天智七年は、近江に都が遷《うつ》され、天智が即位した年にあたる。

だがこの話、にわかには信じられない。まず第一に、近江令の現物が存在しない。そして第二に、近江令の話は、『日本書紀』には載っていないからである。

もし仮に『大織冠伝』のいう通り、中臣鎌足が近江令撰定の責任者であれば、当然『日本書紀』はこれを書き漏らさなかっただろう。くどいようだが、『日本書紀』編纂《へんさん》に藤原不比等《ふひと》が関与していた疑いは強いのだから、父・中臣鎌足の遺業を、事細かに記載したに違いないのである。

そして第三に、天智天皇は白村江の戦という大失策ですでに求心力を失っていた。白村江の戦という失策、その後敗戦処理にかけずり回り、近江京遷都に際しても、多くの人々が天智の行動を批判していたのである。しかも天智は即位してわずか三年で崩御している。

壬申の乱（六七二）を制し圧倒的な権力を握った天武天皇でさえ、十五年間の治世の中で律令を完成させることはできなかった。したがって、『大織冠伝』の述べる近江令は、信用することができない。

つまり、ここでひとつ言えることは、律令整備への執念を中大兄皇子や中臣鎌足が持っていた、という通説は、根本からくつがえされるべきで、むしろ彼らは抵抗勢力であった可能性が高いのである。そう考えることで、乙巳の変や大化改新の数々の矛盾と謎も霧散するはずである。

中大兄皇子や中臣鎌足らは、律令整備事業を放棄。百済救援に邁進《まいしん》していくのである。

蘇我が作った律令

そこで問題となってくるのが、壬申の乱と天武天皇なのである。天武元年（六七二）に勃発した壬申の乱は、天智の崩御ののち、天智の子の大友皇子と天智の弟の大海人皇子が皇位継承権をかけて争った争乱である。古代史上最大の戦乱といってよく、結果は、大海人皇子の大勝利に終わった。この結果、大海人皇子は即位して絶大な権力を握ることとなる。

大友皇子の敗北の原因の一つは、中大兄皇子の極端な親百済政策に対する人々の反発があったことだろう。すでに触れたように、中大兄皇子が実権を握った頃から、中大兄皇子の政策に対し、さかんに民衆が反発し、白村江の戦いの後も近江京遷都を人々が非難し、各地で不審火が絶えなかったという。

もう一つの原因は「蘇我」である。大和岩雄氏は『天武天皇出生の謎』（臨川書店）の中で、大海人皇子の名に「大海人」が冠せられたのは、東国尾張《おわり》氏の枝族「大海（凡海《おおあま》）」と接点を持っていたからと指摘しているが、尾張氏は蘇我氏と密接な関係にあった。さらに、大和氏は大海人皇子が蘇我系の皇子であったと推理し、私見もこれを支持するが（拙著『聖徳太子の謎』学研）、大海人皇子を蘇我系の皇族と考えることで、壬申の乱をめぐる多くの謎は氷解する。

壬申の乱の前後、近江朝の重臣のうち、蘇我系の人々が、大友皇子を裏切り大海人皇子に加担しているが、これは大海人皇子が蘇我氏とつよく結ばれていたからであろう。

乙巳の変ののちの中大兄皇子（天智）に対する民衆の罵倒《ばとう》。それは、日本を無謀な百済遠征に巻き込み、内政に重点をおかなかったつけが回ってきたと言うべきであろう。そして、天智の子・大友皇子が中臣鎌足らの支持を得て即位することを、人々は望まなかったのであろう。

大海人皇子の勝利は、要するに、乙巳の変の蘇我入鹿暗殺に対する仇討《あだう》ちの要素があったとみるべきではないか。それは私怨《しえん》というよりも、二つの敵対する勢力の政争であり、二転三転する政局の一コマであった。

すなわち、聖徳太子によって始められた律令整備は、蘇我入鹿・孝徳天皇、天武天皇（大海人皇子）といった蘇我的な人々の手を経て、ようやく日の目を見たと考えられるのである。

であるならば、このような視点に立って、天武天皇の業績を見直すことで藤原不比等が天武の死後、歴史に姿を現す理由もはっきりしてこよう。

壬申の乱で豪族は没落していない？

さて、壬申の乱で圧倒的勝利を収め即位した天武天皇は、左右大臣を任命せず、皇族だけで政局を仕切るという極端な政策を打ち出している。

これがいわゆる「皇親政治《こうしんせいじ》」と呼ばれるもので、こののち豪族層から大臣が任命されるのは、持統天皇が即位した持統四年（六九〇）のことであった。

いったい、なぜ、天武天皇はこのような政策を採ったのだろう。

直木孝次郎《なおきこうじろう》氏は『壬申の乱』（塙書房）のなかで、その原因を、

①壬申の乱において皇族・皇親氏族が天武を支持したこととの影響

②壬申の乱による中央有力豪族の衰え

であったと指摘し、「有力豪族の統制強化によって、天皇の権力と地位は一層高め

■「皇親政治」の本質とは？■

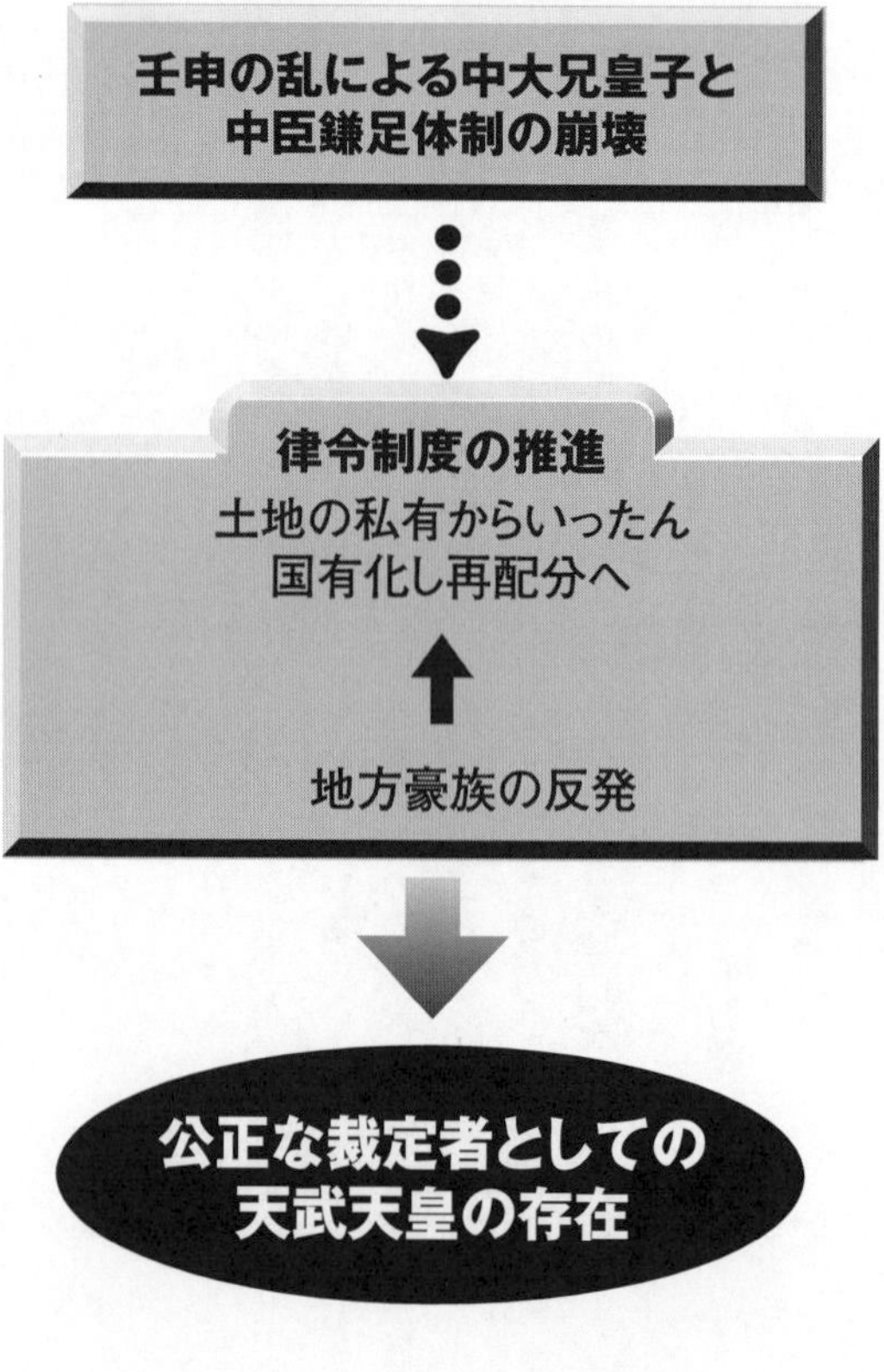
壬申の乱による中大兄皇子と中臣鎌足体制の崩壊
律令制度の推進
土地の私有からいったん国有化し再配分へ
地方豪族の反発
公正な裁定者としての天武天皇の存在

られた（後略）」とし、例えば天武天皇を「神」と謳《うた》うようになったのも、このような事情を反映しているからだろうとする。

さらに、

天智天皇が理想とした天皇独裁の政治形態は、天智みずからが疎外《そがい》した天武によって実現されたのである。運命の皮肉というべきであろう。

とする。

しかし、仮に直木氏が述べるように、天智が独裁制をめざしたとしても、天武のそれと同等に扱っていいのだろうか。天智の独裁・暴走は、無謀な百済救援の延長として考えるべきで、だからこそ民衆の反発を受けたのであり、天武が同じ轍《てつ》を踏んだとは、とても思えないのである。

吉田孝《よしだたかし》氏は、『岩波講座　日本通史　第四巻』（岩波書店）のなかで、壬申の乱で大友皇子を支えたのは蘇我・中臣・巨勢・紀らの畿内《きない》の大豪族で、大友皇子が負けたことによって、伝統的な政治形態がくずれたとして、大海人側についた豪族たちは、畿内の大豪族が朝廷を組織していたのとは異なり、横のつながりは希薄であった。大海人は伝統的な朝廷の合議体制から解放され、独裁的な権力を掌握した。

とする。

しかし、壬申の乱の前後の『日本書紀』の記述を見るにつけ、畿内豪族たちが、この乱によって没落したという「常識」に、疑問を抱かざるを得ないのである。

大海人が吉野に隠遁《いんとん》する直前、天智に呼び出された大海人に対し、蘇我安麻侶《やすまろ》は天智に奸計《かんけい》ありと、忠告している。これは、両名が、通じ合っていたからだと『日本書紀』はいう。また、大海人が東国に落ち延びただけで、多くの兵士たちが先を争って逃げてしまったり、蘇我果安《はたやす》が近江軍の副将となって出陣するも、決戦の直前に、将軍を斬《き》り殺すというこれらの記事を見れば、みな大友皇子を本気で支えようとする気持ちがはじめからなかったとしか思えない。

彼らが大友皇子側に立ったのは、近江朝の重臣だったからで、本心は大海人側にあったとみるべきであろう。だからこそ、裏切ったのである。畿内豪族の雄・大伴《おおとも》氏のように、乱の直前に近江朝を抜け出し、大海人に加勢しているものもいる。また、大友皇子に近侍していた物部麻呂《もののべのまろ》は、のちに左大臣にまで登りつめている。

とするならば、壬申の乱ののち、畿内大豪族が一気に没落したという単純な図式を当てはめるべきではない。

天武天皇の目論見《もくろみ》

井上光貞《いのうえみつさだ》氏は『岩波講座　日本歴史　第三巻』（岩波書店）のなかで、天武天皇が即位ののち、壬申の功臣を厚遇したこと、天武朝を通じて間断なく行われた「朝廷貴族および畿内一般の武装」というような「武」を重視した天武の政策に注目している。

そして、このような武力の強化の必要性がどこにあったかというと、壬申の乱が中央権力に対する地方の社会秩序の反発によってはじまったからか、あるいは、ろうか。

強力な律令体制の実施のために、朝廷・畿内の軍事力の強化が痛感されたためであろうか。

とするのである。

中央豪族と地方豪族の対立という図式を受け入れることはできないが、後者の指摘は、留意する必要があろう。

早川庄八《はやかわしょうはち》氏も、『天皇と古代国家』(講談社学術文庫)のなかで、興味深い指摘をしている。

一般に、壬申の乱は、律令整備の過程で、地方中小豪族が反発したものと考えられているが、そうではないと早川氏は指摘する。これはどういうことかというと、

地方豪族に対する中央勢力の権力介入は、質量ともに天智朝の比ではなかった筈《はず》である。それにもかかわらず、〝利用〟された地方豪族の中央権力に対する抵抗は、少なくとも『日本書紀』にみる限り、天武朝以降全く窺《うかが》い知ることができない。つまり、結果的には、在地に対する律令制的支配の浸透を、地方豪族は受容したとしか思われないような平穏な状態が続くのである。

として、彼らが受容した理由は、天武の専制的権力によって説明されるべきものではない、とする。

では、なぜ地方豪族はしたがったのかといえば、

すなわち、日本における律令制は、在地首長層の現に従属民に対して行使している人格的支配を根本的には否定せず、かれらのもつこうした現実的支配権を容認したうえで形成されたのである。

というのだ。

井上氏と早川氏の指摘に、天武天皇の皇親政治の本質を知るためのヒントが隠されているように思う。

まず、皇親政治の本質がいまだによくわからないのは、壬申の乱の実態が明らかではなかったからであり、なぜ明らかでなかったかといえば、乙巳の変、大化改新の本質がつかめていなかったからである。しかし、大化改新が中大兄皇子と中臣鎌足の律令制度整備の理想の具現化などではなかったこと、律令整備を急いだのは、蘇我氏であり、むしろ中大兄皇子や中臣鎌足こそが抵抗勢力であったこと、大海人皇子が壬申の乱によって、中大兄皇子・中臣鎌足体制を崩し、ようやく律令制度整備の主導権を奪い返したことを考えれば、天武天皇の目論見は明らかになる。

すでに触れたように、律令制度は、原則的にすべての土地を一度国家のものとし、それを再分配するものだ。豪族はここで一度丸裸になり、朝廷の判断によって値踏みされる。もちろん、早川氏のいうように、地方豪族の現実的支配を否定したわけではないにしても、朝廷から与えられる官位と役職が、豪族層を一喜一憂させただろうし、当然、不満不平がでるであろう。したがって、天武天皇が「武」を重視する意味もわかるのである。

それよりももっと大切なことは、律令を本格的に導入するのならば、豪族の合議を中断せねばならないということなのだ。談合によって、豪族の値踏みはできない。だれからも認められた「公正な裁定者」が必要となる。そして、そのために、多くの豪族層に支持されて即位した天武天皇がうってつけだった……。

これが、皇親政治の本質ではなかったか。

すなわち、皇親政治とは、律令を軌道に乗せるまでの暫定《ざんてい》政権にほかなるまい。

なぜ天智の娘が天武朝で即位できたのか

皇親政治にこれだけこだわったのは、天武天皇から持統天皇の時代、すなわち、浄《きよ》御原令《みはらりよう》が施行される時期こそが、律令の本格導入の時期に当たっていたこと、藤原不

■ 持統天皇即位の謎 ■

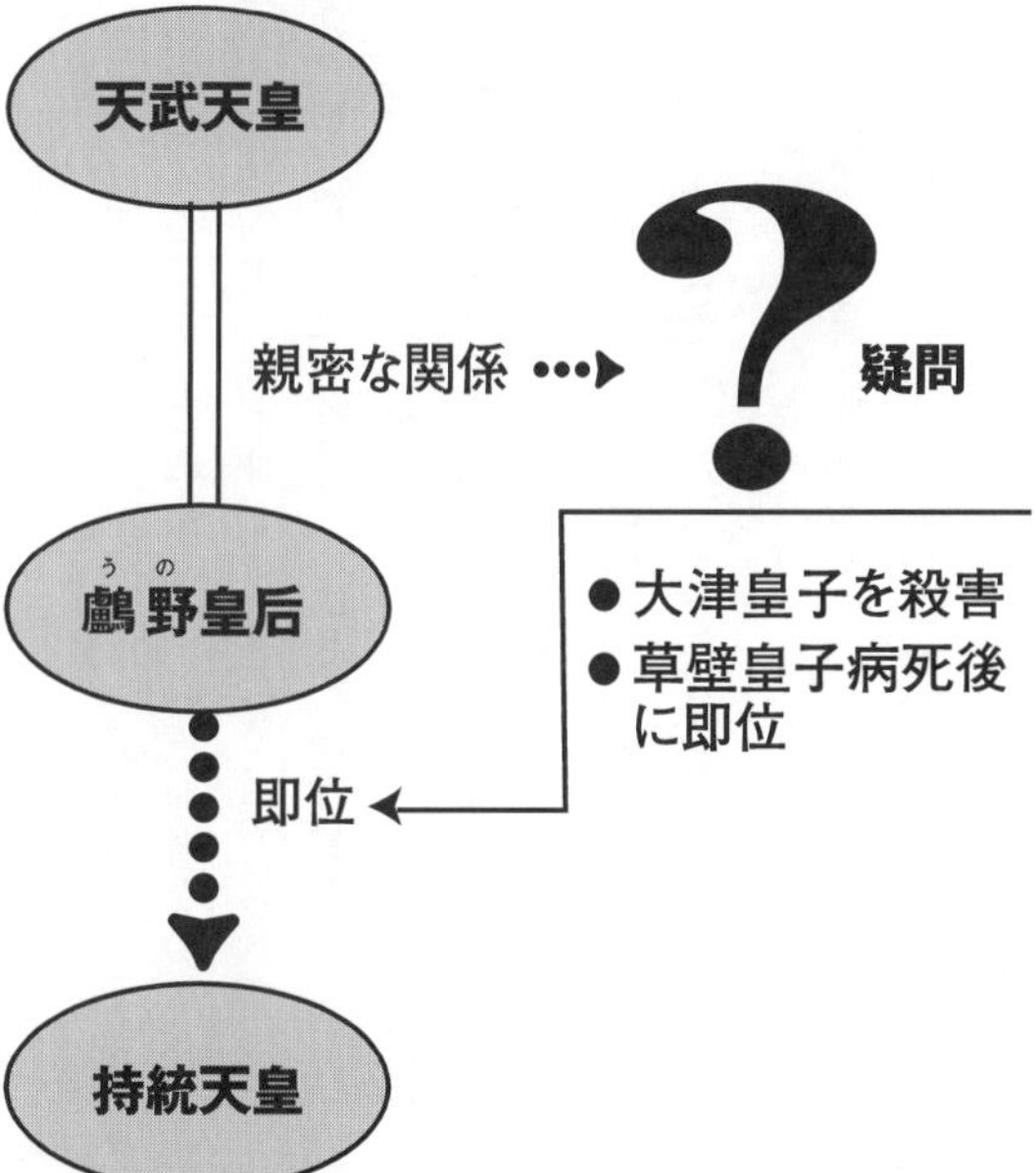

なぜ天智天皇の娘が即位できたのか?

比等が、この転換期に出現したことに、大きな意味があったからである。

そしてここで藤原不比等の話をする前に、もう一つ確認しておかなくてはならないことは、天武天皇の皇后・鸕野《うの》のことだ。この女人は天武崩御後即位し持統天皇になり不比等を抜擢《ばつてき》するのだが、この女人がじつに曲者《くせもの》なのである。

一般に鸕野皇后は、夫天武と仲がよかったと信じられている。それは、『日本書紀』の持統天皇称制《しようせい》前紀に、「(鸕野は)はじめから最後まで天皇に付きしたがい、意見を述べ、補佐し、ともに天下を定めた」と書いてあるからにほかならない。

具体的には『日本書紀』の中に次のような例が見いだせる。

壬申の乱に際しては、大海人の吉野隠棲《いんせい》、命がけの東国行きに同行し、天武天皇九年(六八〇)十一月に鸕野皇后が病の床につくと、天武天皇は薬師寺《やくしじ》造営を発願、すると鸕野の病気はすぐに癒《い》え、逆に天武天皇が病に冒されると、鸕野皇后は百人の僧を得度《とくど》(出家)させ病気平癒を祈ったという。持統天皇は大宝二年(七〇二)に崩御し、天武天皇の眠る同じ墓に埋葬されたのである。

これらの記述を見てくれれば、二人の仲を疑う隙《すき》はない。だが、この『日本書紀』の記述には、大きな疑念が残される。

まず第一に、天皇と皇后の仲むつまじい様をこれほど強調した例はかつてなかったということで、なぜ天武と持統に限って、間柄の親密さが「特筆」されたのだろう。

第二に、『万葉集』には、持統の天武を思う歌が残されるにもかかわらず、逆に、天武の持統を偲《しの》ぶ歌は一首もないのである。二人は本当に仲のよい夫婦だったのであろうか。

なぜこのような疑念を抱くかといえば、天武天皇崩御後、有力な皇位継承候補であった大津皇子《おおつのみこ》を、持統は罠《わな》にかけて殺し、そして、持統は藤原不比等とコンビを組んでしまうからである。

持統天皇は天智天皇の娘であり、このコンビは、図式的には、天智天皇と中臣鎌足の再来となる。このコンビが、天智と中臣鎌足が展開したような恐怖政治を展開した疑いもでてくるのである。

それだけではない。だいたい、持統天皇は天武天皇の死後、皇太子の草壁《くさかべ》を三年間即位させることなく、みすみす病死させ、そのあとに即位していることも不可解なのである。

通説は、持統は天武の皇后だったから即位できたのは当然、と考えているが、どう考えても不自然である。この間、もっとも大切な皇子を二人も天武朝は失ってしまった。その責任の一端は鸕野皇后にあったのに、あろうことか、草壁の死の直後、鸕野は即位してしまう。壬申の功臣が数多《あまた》残り、しかも有力な天武天皇の皇子がいたのに、なぜ天智天皇の娘が即位できたのか、大きな謎《なぞ》といわなければなるまい。これはけっして尋常な事態ではない。

大津皇子が鸕野の手ではめられたことは明らかであったろうに、なぜだれも即位を止めようとはしなかったのだろう。

天香具山《あまのかぐやま》の歌に秘められた暗示

『万葉集』巻一──二八には、この頃の持統の歌を挙げている。名高い天香具山の歌である。

春過ぎて夏来《きた》るらし白栲《しろたへ》の衣乾《ころもほ》したり天《あま》の香具山《かぐやま》

［大意］春が過ぎて夏がやってくるらしい。（青葉の中に）真白な衣が乾してある。天の香具山は（『日本古典文学大系　萬葉集』岩波書店）。

じつに即物的で、余韻のない歌である。それにもかかわらず、『万葉集』が取り上げたのは、この歌が強烈な暗示を投げかけていたからであろう。

天香具山はヤマト朝廷誕生以来の聖地であり、禁足地であったろう。その聖地に衣が干してあるというのは非常識なことなのである。その非常識が許されるのは、衣を干したのが神だったからにほかならない。これまで、この点が無視されてきたのだ。

では、天香具山の白栲（栲）とはいったい何なのか。

共同研究者梅澤恵美子《うめざわえみこ》氏が『額田王《ぬかたのおおきみ》の謎』（ＰＨＰ文庫）で指摘したように、白栲の衣とは、天《あま》の羽衣《はごろも》伝承の天女・豊受大神《とようけのおおかみ》（伊勢外宮《げくう》の祭神）の衣であり、伝承の中で天女は天の真名井《まない》で沐浴《もくよく》し、通りかかった翁《おきな》に衣を盗まれてしまう。結果天女は、天に帰ることもできず、翁にとらわれ、やがて裏切られるのである。

天武天皇の和風諡号《しごう》は天渟中原瀛真人《あまのぬなはらおきのまひと》であり、このなかにある「渟」と「瀛」のそれぞれの字はどちらも「水・海」と関係がある。しかも「渟」は「真渟名井《まぬない》」の「渟」であり、天の羽衣の天女（豊受大神）の沐浴していた池は「真名井」で、「真渟名井」のことであり、ここに現れる天女は水の神である。真名井と海は通じていると考えられていた。

だから、天武天皇と天の羽衣には、目に見えぬ接点がある。

そして、持統天皇の「天香具山の歌」は、天武政権打倒の秘めたるクーデターを歌い上げていた疑いが出てくるのである。

神話に隠された持統の姿

問題はここからだ。

柿本人麻呂《かきのもとのひとまろ》は天武天皇を「神」とたたえた。

しかしいっぽうで、『日本書紀』は王朝の正統性を証明する神話の中で、ヤマト朝廷の始祖が女性の太陽神であると記録した。これが天照大神《あまてらすおおみかみ》だ。

興味深いのは天智天皇と持統天皇の和風諡号で、前者は天命開別天皇《あめみことひらかすわけのすめらみこと》、後者が高天原広野姫天皇《たかまのはらひろのひめのすめらみこと》と、明らかに高天原の神のイメージであり、天智が天命によって新たな世（高天原）を開き、持統がそこに君臨する神、ということになろう。

上山春平氏は『日本書紀』編纂《へんさん》の主体が藤原不比等であったと主張する哲学者だが、『続・神々の体系』（中公新書）のなかで、記紀神話には明確な図式が示されていて、アメノミナカヌシから神々の系譜が二つにわかれ、カミムスヒ・タカミムスヒ、イザナミ・イザナギ、スサノヲ・アマテラス、オホクニヌシ・ニニギそれぞれを経由して、イハレヒコ（神武天皇）でふたたび一つの系譜に結びつき和合する、と指摘する。

そして、このような二つにわかれる図式は、律令制の原理と氏姓制、二つの流れの原理の投影であり、出雲の国譲りは、大化改新を転機とする律令制原理による氏姓制原理の克服の投影とするのである。

さらに、タカマノハラ系の最高神・アマテラスが孫のニニギに地上界の統治権を与えた天孫降臨《てんそんこうりん》神話は、「持統および元明《げんめい》と不比等との協力体制の展開にとって必要となった女帝から孫へという前例のない皇位継承の祖形を提示する意味をもった」とする。

さらに、オオクニヌシの国譲りを強要したタケミカズチという図式は、タケミカズチが藤原氏の春日神宮の祭神であることから、

氏姓制の原理の上に繁栄してきた旧豪族たちを社会的もしくは政治的な死に追いやった鎌足・不比等父子の姿の投影

とするのである。

なるほど、藤原不比等が『日本書紀』編纂に関《かか》わっていたとすれば、このような図式を用意しても、なんの不思議もない。

しかし、すでに触れたように、律令整備は、蘇我政権下と天武朝において進展したのであって、鎌足が「日本のための律令整備」に心血を注いだかといえば、答えは否定的である。

天武天皇が皇親政治という極端な政治体制を布《し》き、これに豪族層が柔順だったのは、このあたりの事情を雄弁に物語っている。

それよりも、『日本書紀』の描いた図式で注目すべきは、皇祖神の最高位に、太陽神アマテラスを配置し、しかも、初め子の正哉《まさか》吾《あ》勝勝速日天忍穂耳尊《かつかちはやひあまのおしほみみのみこと》を降臨させようとした天照大神が、急きょ孫の天津《あまつ》彦彦火瓊《ひこひこほのに》瓊《に》杵尊《ぎのみこと》に変更した、という記述である。しばしば指摘されるように、この神話こそが、持統天皇の姿をそのまま反映したものと言っていい。

天智系王家の復活

はじめ持統は、子の草壁皇子の即位を願ったが、三年後、病死してしまった。そこで持統は自ら即位するとともに、孫の軽《かる》皇子に王位を禅譲する。しかも、天照大神のかたわらには常に高皇産霊尊《たかみむすひのみこと》なる神が補佐し（時に主人公となり）、天孫降臨を成就《じょうじゅ》する。そして高皇産霊尊は、娘を正哉吾勝勝速日天忍穂耳尊にあてがい、天津彦彦火瓊瓊杵尊を生ませているのだ。

すなわち、この高皇産霊尊こそが、藤原不比等であり、天照大神を持統とすれば、文武天皇、聖武《しょうむ》天皇と、持統の孫がまず即位し、さらに藤原の血を受けた曾孫《ひまご》が即位していった事実と、ぴったりと当てはまってくるのである。

藤原不比等には、このような持統からはじまる系統を神話化する十分な動機が備わっていたように思われる。

『万葉集』のなかで、天武天皇は「神」と謳《うた》われている。これは当然のことで、壬申の乱の大勝利によって、天智王朝に代わる新たな王朝が完成したのであって、しかもその王朝は、聖徳太子以来の悲願であった律令制度を整備し、日本を生まれ変わらせようとするものであった。

通説は持統天皇がこの天武の遺志を引き継いだと考えるが、天香具山の歌にあるように、それは大きな誤認である。もし持統が天武の遺志を引き継いだのならば、神話の中で、なぜ男性の神が、皇祖神の頂点に立たなかったのだろう。太陽神は本来「陽」＝「男性」であり、その原則をねじ曲げてまで、藤原不比等は持統天皇を新たな王家の始祖に祀《まつ》りあげたのである。

■ 藤原不比等の深謀遠慮 ■

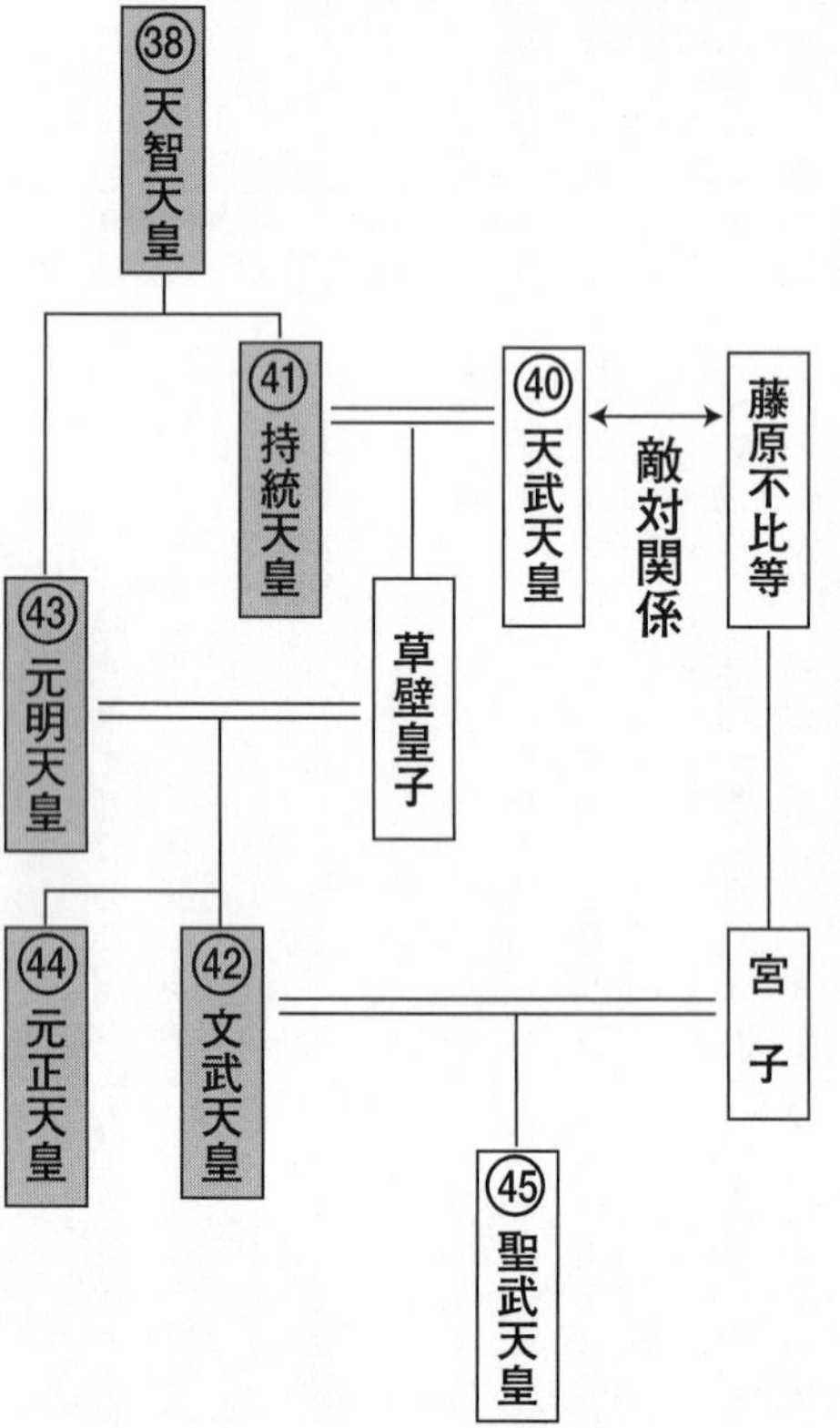

天智系の系譜

王家を「天武の血」から引き離し、天智系王家の復活を目指す

そして、それはなぜかといえば、こうすることによって、天武王朝は、観念上持統に乗っ取られることになるからで、しかもその持統王朝は、天智の王権でもある。

その証拠に、持統の子の草壁皇子には、天智の娘・阿閇皇女《あべのひめみこ》（元明天皇）が嫁ぎ、さらに文武天皇の死後、中継ぎとして即位した元正《げんしょう》天皇は文武の実の姉であり、要するに母は天智系である。

このように、母方に天智系を持ってくることで、王家を「天武の血」から引き離しにかかったのが、藤原不比等の深謀遠慮だったはずである。

そして、このような血脈を神話化し、女性の太陽神天照大神を祀りあげることで、観念的に天智天皇からはじまる王統を完成させていくのである。

もちろん、このような図式を描く端緒は、なんといっても持統の即位が大前提にあったわけで、持統三年（六八九）に草壁が逝去《せいきょ》し、そののち急きょ鸕野が皇位につくまでのドラマがどうしても知りたくなるのである。

持統即位のきな臭い背景

あらためて述べるが、壬申の功臣の数多残り、天武の皇子が群居するなかでの鸕野

（持統）の即位は、常識ではあり得ない。

なぜ鸕野は即位できたのか。

かなりきな臭い背景がありそうである。

もっとも、『日本書紀』はこのあたりの事情を一切語ろうとはしない。「天武天皇の皇后」が即位できたのは当然だった、とでも言いたげである。

しかし、同じ持統三年、藤原不比等が判事に任命された、というたった一つの記事にヒントは隠されているのではあるまいか。

持統天皇の誕生には、裏で藤原不比等が暗躍していた疑いがある。

『扶桑略記《ふそうりやつき》』には、持統天皇が即位し、大和国高市《たけち》郡飛鳥浄御原の藤原の私邸に持統が「都す」、つまり、宮を置いた、という記述がある。臣下の私邸を宮にした、というのはどういうことであろうか。

『東大寺献物帳』にしたがえば、この直前藤原不比等は、病床にあった草壁から黒作懸佩刀《くろつくりかけのはいとう》を拝受していたことになる。すでに触れたように、この刀は、不比等から文武へ、文武から不比等へ、不比等から聖武天皇へと、まるで皇位継承のレガリヤのような動きを示すのである。天皇家の三種の神器を正式のレガリヤとすれば、それは暫定《ざんてい》的で、私的なレガリヤである。

なぜ藤原不比等は持統を私邸に住まわせ、しかも私的なレガリヤを用意したのであろう。

ここに、持統即位をめぐる、皇族、諸豪族の反発と、藤原不比等、持統のごり押しの図式を見ることができないであろうか。

いかなる手段を用いて持統の即位を周囲に納得させたのか、詳細はわからない。しかし、巧妙で狡猾《こうかつ》な手管《てくだ》が用いられたのではなかったか。大津皇子の死が見せしめとなったかもしれない。いずれにせよ、藤原不比等は、持統即位に遡《さかのぼ》って、この藤原体制を正当化する必要性があって、だからこそ、女性の太陽神・天照大神を誕生させたのだと納得させられるのである。

それはなにも、持統天皇の即位だけではない。孫の文武天皇の皇位継承においても、相当な混乱が生じていたらしい。

漢詩集『懐風藻《かいふうそう》』には、持統朝の太政大臣で天武天皇の皇子高市が持統十年（六九六）七月に薨去《こうきょ》した際、皇位継承問題が浮上し、会議が開かれたことを記録している。

時に群臣《ぐんしん》各《おのがじし》私好《しかう》を挟《さしはさ》みて、衆議紛紜《しゅうぎふんうん》なり。

つまり、集まった皇族諸侯百官は、私情を差し挟み、てんでんばらばらなことをいい、議論は紛糾した、というのである。

これは当然で、天武天皇の皇子がくさるほど存在したから、だれが皇太子になってもおかしくはなかった。それに、草壁皇子の遺児・軽皇子はまだ数え十五歳と若かったから、いろいろな選択肢があったわけである。

それはともかく、ここで大友皇子の子・葛野王《かどののおう》が突然進み出て、大音声を張り上げる。

「我が国は神代からいままで、子孫が皇位を継承してきたのに、今、もし兄弟が相続すれば、乱はここから起きるであろう。天の心を推測し人間関係から勘案すれば、後継者はおのずと知れてくる。余計なことはいうな」

というのである。

この発言に、天武天皇の第六子・弓削皇子《ゆげのみこ》が思わず反論しようとした。ところが葛野王に一喝されて、すごすごと引き下がったのだという。

皇太后（持統天皇）は、この葛野王の一言が国を定めたとして、褒《ほ》め称《たた》え、特別に正四位を授け、式部卿《しきぶきょう》（式部省の長官）に抜擢《ばってき》したのである。

いっぽうの弓削皇子は、この事件の二年後に没した。

『日本書紀』には、このような会議のあったことは記録されていない。その代わり、同年七月、後皇子尊《のちのみこのみこと》（高市皇子《たけちのみこ》）が薨去したこと、翌十一年八月に、

天皇《すめらみこと》、策《みはかりこと》を禁中《おほうち》に定《さだ》めて、皇太子《ひつぎのみこ》に禅天皇位《くにさ》りたまふ。

と、持統天皇は、「策」を禁中《きんちゅう》（宮の中）に定めて、皇太子（軽皇子）に王位を禅譲した、というのである。これが、文武天皇の誕生である。

一つ理解できないのは、なぜ高市皇子の薨去と同時に皇位継承問題が急浮上したのか、ということで、あるいは、持統と高市の間には、「次は高市」という暗黙の了解があったということであろうか。『日本書紀』は高市皇子をさして、「後皇子尊」と、なぜか高市に「尊」の尊称を与えている。『日本書紀』は「命」と「尊」を使い分け、「尊」を「命」よりも上のランクに置いていて「尊」は尊称の最上位といえる。そして皇太子だった草壁皇子にも「皇子尊」という尊称が与えられていて、「後皇子尊」は「皇子尊＝草壁」を意識した書き方であるから、高市皇子が皇太子であった可能性は高い。

高市と持統の蜜月

ところで、このあたりの事情には、一つ奇怪な背景がある。『日本書紀』持統十一年（六九七）二月の条には、東宮大傅《みこのみやのおほきかしづき》と春宮大夫《みこのみやのつかさのかみ》の任命記事がある。二つの役職は、皇太子に仕える仕事であるところから、このころ軽皇子が皇太子に冊立《さくりつ》されていたことがわかる。不可解なのは、持統・不比等政権の悲願だった軽皇子の立太子を『日本書紀』が記録していないことなのである。

さらに、高市皇子の薨去記事も不自然で、「高市」の名が記載されず、「後皇子尊」とのみあることも不審きわまりない。これでは、誰が死んだのか分らない。なぜ堂々と、『日本書紀』は高市皇子の死を、後世に知らせようとしなかったのだろう。そこに、何かしらのはばかりがあったとしか考えられないのである。

この『日本書紀』の不自然な記述は、要するに、高市皇子こそが、皇太子であったことを裏付けているように思うのである。

つまり、草壁の死に際し、「持統の次は高市」という密約があったからこそ、持統の即位が了承された、という可能性が浮上してくるのである。そしてこれは蛇足ながら、高市皇子は、持統や不比等らの魔の手にかかり、抹殺《まっさつ》されてしまった可能性がでてくるのである。もちろん、十分な証拠は残されていないが、『日本書紀』の高市の死をめぐる不自然な記述が、どうしても引っかかってくるのである。それはともかく……。

では、これら一連の文武天皇即位に至る巧妙なカラクリは、持統ひとりが作り上げたものなのだろうか。そうではなく、おそらく不比等の入れ知恵があったにちがいない。

文武二年（六九八）八月十九日の詔《みことのり》には、

藤原朝臣《ふぢはらのあそみ》賜《たま》はりし姓は、その子不比等《ふひと》をして承《う》けしむべし。但《ただ》し意美麻呂《おみまろ》らは、神《かみ》事《わざ》に供《つかへまつ》れるに縁《よ》りて、旧《もと》の姓に復《かへ》すべし。

とある。

ここで、藤原氏は、藤原と中臣に分かれる。中臣鎌足の直系の藤原氏が政治を、それ以外（中臣氏）は神事をつかさどる一族として、明確に分離されていくわけである。

ここに、藤原氏の画期がある。

藤原氏が神事をつかさどる中臣氏を分離した、という印象が強いが、じっさいには、本来ならば神祇《じんぎ》をつかさどる家の中臣氏から、政治をつかさどる一族としての藤原が歩みを始めたのであり、私見通り中臣鎌足（百済王・豊璋）が中臣氏の系譜に割り込んだとすれば、藤原不比等は、ここで「中臣」から脱皮することで、藤原氏の「独立」と「発展」の基礎を築いたというべきであろう。

さらに文武四年（七〇〇）六月十七日には、大宝律令が完成したと記録されるが、制作者の筆頭には、刑部《おさかべ》親王と藤原不比等が名を連ねている。親王はおそらくお飾りであろうから、大宝律令に果たした藤原不比等の役割は、多大なものであったろう。

このように、文武天皇の即位の後の藤原不比等の活躍が目立つのである。即位とほぼ同時に娘の宮子《みやこ》を嫁がせ、この宮子から、後の聖武天皇が誕生する。

こうしてみてくると、軽皇子を推すことでもっとも得をしたのは藤原不比等であり、持統の黒幕としての存在感がありありと感じられるのである。

先にあげた『日本書紀』最後の言葉、「策を禁中に」云々《うんぬん》にしても、その策とは、持統を太上《だいじょう》天皇に押し上げることであり、それを藤原不比等が考え出したという説は、もはや通説に近い。

藤原不比等の活躍は、ただ目立つというだけではない。

■ 藤原支配制度の確立 ■

中臣氏から藤原氏への脱皮

↓

神祇をつかさどる一族から
政治を支配する一族へ

大宝律令の制定 ➡ 法律を支配

● 藤原不比等が大きな役割を果たす

天皇家の神格化 ➡ 天皇を傀儡に

→ **「法律」と「天皇」、二つの絶対権力を手に入れた藤原氏**

不比等は、律令を組み立て、天皇を擁立するに、一肌脱いだ。

文武や持統は不比等に頭が上がらないのであり、これで天皇を傀儡《かいらい》に、しかも、律令（法律）を支配する体制が整えられたことになるのである。

神話によって天皇は神の子となった。神聖な存在なのだから、律令の網には引っからない。天皇の命令は、原則として絶対なのである。つまり、法律という絶対と天皇という絶対、二つの「絶対」双方を、文武天皇の即位によって不比等は手に入れたのである。

藤原が律令を制した意味

律令の完成を、藤原不比等が担《にな》った、という一事を軽く見るべきではない。

法律はただ法の文面があって、いろいろな規定があれば、だれもがその法に則《のっと》った生活や活動ができるというわけではなく、法解釈が必要となる。

何をすれば罰せられるのか、どうすれば法の網から逃れられるのか。現代では、すべては裁判所が判断する。

しかし、大宝律令はできたばかりで、それをだれが解釈するかといえば、作った本人や律令に関わる当事者が説明することになる。つまりこのことは、「藤原不比等そのもの」が、「歩く法律」と化したことを意味する。

そして実際に、不比等亡《な》き後、「藤原」が、「法」そのものになっていくのである。藤原氏は「法」と「天皇」を支配することで、権力の独占を目論み、「日本」を私物化していく。したがって、藤原氏千年の基礎を築いたのは、中臣鎌足ではなく藤原不比等である。

藤原不比等は、ひとつの氏《うじ》から一人の参議官というヤマト朝廷が守りつづけてきた因習を無視し、「律令に規定のない」ことをいいことに、藤原氏から複数の参議を輩出するようになる。律令の解釈とは、要するに、こういうことをさしている。穿《うが》った見方を許されるならば、不比等は律令から、わざと古い因習を省いてしまったとしか考えられない。それは合理的な思想ゆえではなく、身勝手な法解釈の余地を残すためである。たとえば、「皇后」の資格についても、はっきりとした規定はなかった。それまでの常識では、皇后位に付けるのは皇族に限られていたが、藤原氏はこの慣習を無視して、自家から皇后を輩出することに成功するのである。これも、律令にはっきりと規則を設けなかったからこそなし得る悪知恵である。

改めて言うが、藤原が律令を制した、というのは、こういう意味である。

そしてここから、藤原氏は本性をあらわしていくのであり、それを象徴する事件が、長屋王《ながやおう》の変であった。

長屋王は高市皇子の子で、藤原不比等が右大臣に登りつめたとき、そのすぐ下の地位、大納言《だいなごん》であった。したがって、不比等の死によって、自動的に朝廷のトップに躍り出てしまったのである。

長屋王の躍進は、タイミング的に最悪なものであった。

当時の天皇は元正女帝で、藤原不比等の目論見は、文武と宮子の間の子・首皇子《おびとのみこ》を元正のつぎに即位させよう、というものであった。首皇子の母・宮子と夫人の光明子《こうみょうし》は、いずれも不比等の娘であり、首皇子の即位こそが、「藤原の天皇の誕生」であり、不比等の悲願だったのである。

いっぽうの長屋王は天武の孫であり、天智や藤原の血を引いていない。当然のことながら、当時藤原氏に反感を持つ皇族や豪族たちの旗印に担《かつ》ぎ上げられてしまったのである。藤原氏は長屋王の出現を警戒し、元正天皇を動かし、不比等の四人の男子のうちの武智麻呂《むちまろ》を中納言に特進させ、さらに参議の房前《ふささき》を内臣《うちつおみ》に任命させた。

内臣は中臣鎌足がそうであったように、法的な裏付けを持ったものではない。天皇が超法規的判断をもって任命した令外《りょうげ》の官《かん》である。

■「長屋王の変」とは？■

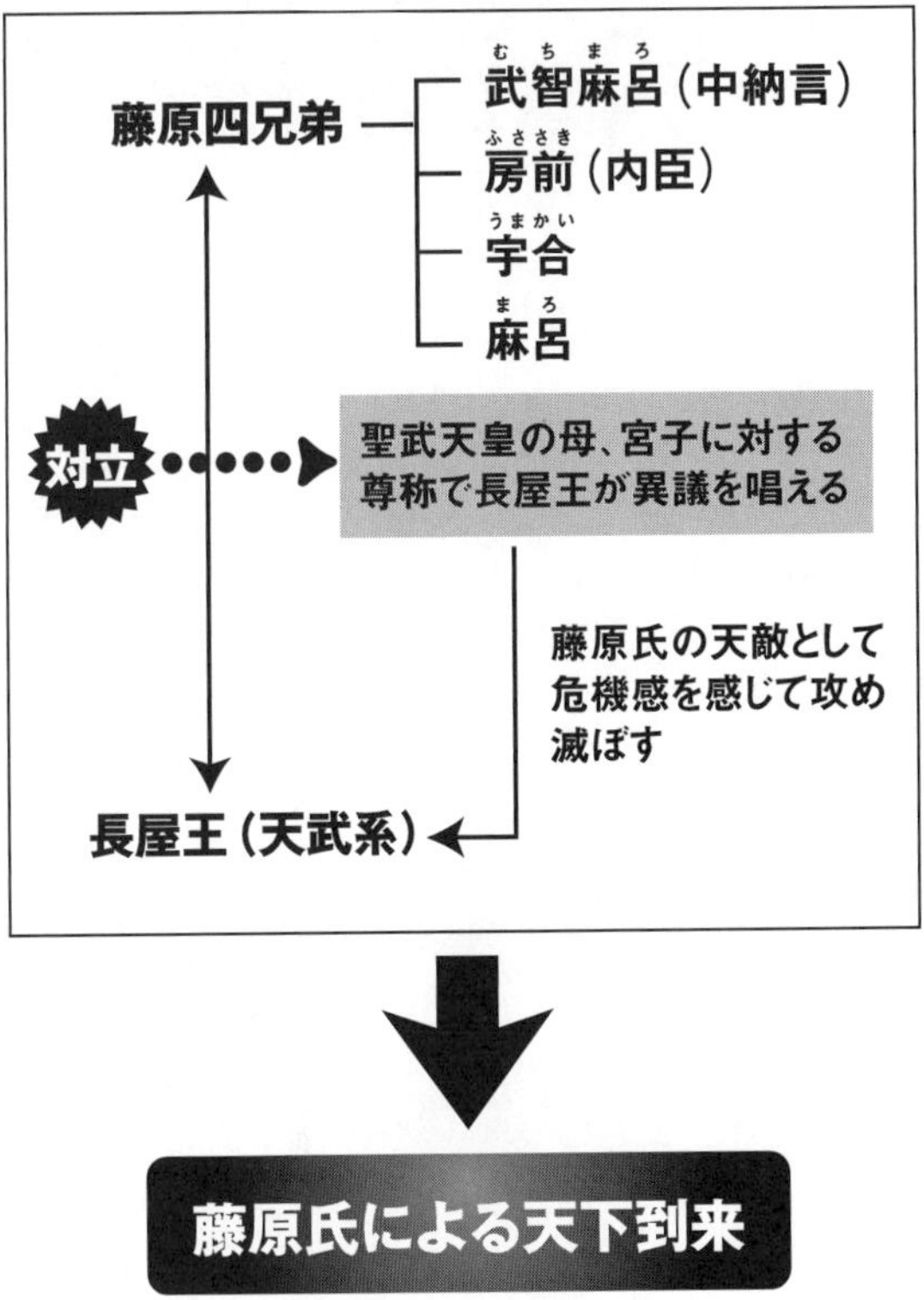
藤原四兄弟
武智麻呂《むちまろ》（中納言）
房前《ふささき》（内臣）
宇合《うまかい》
麻呂《まろ》
対立
聖武天皇の母、宮子に対する尊称で長屋王が異議を唱える
藤原氏の天敵として危機感を感じて攻め滅ぼす
長屋王（天武系）
藤原氏による天下到来

養老《ようろう》五年（七二一）の元正天皇の詔は、

「家に憂《うれ》いがあれば、それが大事であっても小事であっても油断はできない。だから藤原房前は内臣となって朝廷の内外に渡ってはかりごとをめぐらし、天皇の命令と同等の重みを持ったその言葉で、天皇の政務を助け、長く国を安定させるように」

というのである。

ここにいう「天皇と同等の重みを持った言葉」とは、ようするに房前が律令の規定を超越した存在であることを認めているわけで、朝廷の最高位に登りつめた右大臣・長屋王の手足を縛るための姑息《こそく》な手段である。

こうして藤原不比等の四人の男子と長屋王の対立がはじまり、きな臭さが漂い始める。そして、事件は意外な形で勃発《ぼっぱつ》した。

藤原氏念願の首皇子が神亀《じんき》元年（七二四）二月四日に即位し聖武天皇が誕生し、その二日後、つぎのような勅《みことのり》が発せられた。

勅《みことのり》して正一位藤原夫人《ふぢはらのぶにん》を尊《たふと》びて大夫人《だいぶにん》と称《まう》す

ここにでてくる藤原夫人とは、聖武天皇の生母・宮子であり、宮子に尊称を与え、これからは大夫人と呼ぶように、という意味で、一見して何の変哲もない内容といえよう。

ところが、左大臣となった長屋王とその一派が異議を唱えた。三月二十二日のことだ。『続日本紀《しよくにほんぎ》』には、「左大臣正二位長屋王ら言《まう》さく」とあり、つぎのような抗議の内容が載せられている。

それによれば、二月四日の勅の中で、藤原夫人を大夫人と呼ぶようにとありましたが、謹んで法（公式令《くうじきりよう》）をみると、皇太夫人《こうたいぶにん》という称号があります。（ちなみに、天皇の母の称号には、皇太后、皇太妃、皇太夫人の三つがあって、上から順に、皇后、皇族出身の妃、豪族出身の夫人を指して呼んでいる）勅に従えば、「皇」の字が抜け、逆に法にしたがえば、大夫人《だいぶにん》と称すこと自体が違法になってしまう。われらはいったい勅と法のどちらを守ればよいのか、ご指示を仰ぎたい、というのである。

正論である。

だが、宮子の称号など瑣事《さじ》である。その瑣事に長屋王がこだわったのにはわけがあった。

「律令」と「天皇」を悪用した藤原氏の政局運営に、楔《くさび》を打ち込もうとしたのである。このままずるずると、藤原の思い通りに事を運ばせれば、それこそ、藤原だけが栄える悪夢が訪れるはずだからである。

事実、この後、藤原は「律令」と「天皇」を、権力と財を握るための「打出《うちで》の小《こ》槌《づち》」としていくのである。

それはともかく、長屋王の抗議に対し、聖武天皇は、つぎのような勅を出した。それによると、宮子夫人を大夫人と呼ぶように命じた勅を撤回し、文書で記すときには皇太夫人とし、呼ぶときには大御祖《おおみおや》とするように、としたのである。

藤原氏は屈辱を味わった。長屋王をこのまま生かしておけば、藤原の天敵になることは、火を見るよりも明らかであった。

長屋王にとっての不運は、この事件の三年後、聖武天皇と光明子の間に、藤原待望の男子（基皇子《もといのみこ》）が誕生し、前例のない形で生まれた直後に立太子をすましたにもかかわらず、一歳の誕生日を待たずに夭逝《ようせい》してしまったことである。

「藤原の子」が天皇でありつづけなければ、一気に奈落の底に突き落とされるという恐怖心が、藤原氏にはあったのだろう。皇太子の死の翌年、長屋王の一族は、藤原氏の陰謀によって、滅亡に追い込まれる。

藤原のためだけの、藤原による天下が、こうしてやってきたのである。

第四章　崇《たた》りにおびえる藤原氏

律令《りつりょう》を悪用した藤原氏

藤原不比等《ふじわらのふひと》によって確立された藤原発展の手法は、その後の歴史に、大きな影響を及ぼしていくことになる。

藤原氏は天皇に自家の女人を送り込み、子を産ませた。そしてその子を即位させることによって、天皇を傀儡《かいらい》とし、律令の枠にとらわれない自由を、藤原氏だけが獲得していったのである。

もちろん、藤原が得たものは、権力だけではなかった。高位高官には、中級官僚とは比較にならぬほどの封禄《ほうろく》が与えられたから、宮中を独占する藤原氏だけが肥え太っていったのである。すでに触れたように、錐《きり》を突き立てる隙《すき》もないほどの土地を、やがて手に入れるようになるのである。

律令制度の整備によって、豪族層は支配していた土地を手放し、生き残りのために、高い官位と役職を望んだ。朝廷の人事権は原則的に天皇が握っていて、その天皇を動かすのが藤原氏であるから、かつての豪族層は、藤原氏にすり寄るほか、出世の道がなくなってしまったのである。

我が世の春を謳歌《おうか》する藤原氏は、藤原氏に反発するものを、あらゆる手段で排斥した。日本の律令制度は、中国大陸のそれとは異なり、「合議制」を前提に調《ととの》えられたものであった。しかし、藤原氏の台頭によって、そのような原則は踏みにじられたと言っていい。

藤原氏の目的は、一党独裁であり、すり寄るものは生かしつづけたが、そうでないものは、容赦なく叩《たた》きつぶした。

その手段が陰惨で過酷であったから、多くの恨みを買っていくことになるのである。もちろん、なぜ藤原氏が暴走したかといえば、彼らが百済《くだら》出身であったからと考えれば謎《なぞ》ではなくなる。

日本を滅亡の危機にさらした中臣鎌足《なかとみのかまたり》（豊璋《ほうしょう》）の末裔《まつえい》が藤原氏である。彼らがひとたび権力を手放せば、寄ってたかって袋だたきにあうという恐怖心が、彼らの暴走を誘ったのだろうし、力のみが正義、という大陸的な発想を、彼らが持っていたのかもしれない。少なくとも、「和《わ》なるを以《もっ》て貴《とうと》しとし」と憲法の第一条に持ってきた聖徳太子の理想を、彼らは袖《そで》の下で笑っていたにちがいないのだ。

藤原は、聖徳太子が描いた理想を悪用し、律令の完成直後の混乱に便乗して、藤原のためだけの天下を築き上げたといえよう。

藤原氏は独裁政治をめざしていなかった？

ところで、木本好信《きもとよしのぶ》氏は『律令貴族と政争』（塙選書）の中で、藤原氏が天皇家と関係を結び、外戚《がいせき》の威を借りて他氏排斥に走ったと決めつけるこれまでの奈良時代の政治史研究は間違いだと指摘する。それは、

歴史事実をある一面からみたのにすぎないものであって（中略）あまりにも偏《かたよ》った奈良時代政治史の見方ということになろう。

とする。

たとえば和銅《わどう》三年（七一〇）の平城京遷都《へいじょうきょうせんと》に際し、左大臣石上《いそのかみ》（物部《もののべの》）麻呂《まろ》は、旧都（藤原京）の留守役に任じられ、平城京に移ることを許されなかったが、これは、格下の右大臣藤原不比等に、石上麻呂がはめられたと一般には考えられている。

これに対し、木本氏は反論する。二人の間に政治的な葛藤《かっとう》があったことはたしかにしても、老齢の麻呂は、不比等に政務を委《ゆだ》ね、不比等も麻呂を疎外《そがい》することはなかっ

た、とする。

その証拠に、物部氏（石上）と中臣（藤原）氏は、過去において多くの交友があり、またこの後も、藤原氏と物部氏は婚姻関係を築き政界で協力しあうなどしたからだという。

このような例を挙げたうえで木本氏は、藤原氏が一党独裁をめざしたのではなく、実際には他の豪族と手を組み、共存の道を歩んでいたと主張する。

興味深い指摘だが、木本氏の指摘は大きな過《あやま》ちである。藤原氏が物部氏ら他の豪族と共闘を選んだのは、「方便」であって、手を組んだ豪族が藤原氏を脅《おびや》かすほどの力をもてば、必ずこれを叩きつぶした。これは共存共生ではなく、明らかな「支配」である。

藤原氏に協力する豪族たちも、そうしなければ出世や一族の安寧が望めない体制ができあがっていたから、生き残りのために、彼らは必死だったのである。

平城遷都の直前、石上麻呂が左大臣になった頃、物部氏と藤原不比等は木本氏の指摘するように、良好な関係を保っていた可能性は高い。しかし、左大臣を旧都の留守役にしてしまうのは、尋常な事態ではない。これは利用した挙げ句に捨て去ったとしか考えられないのである。

その証拠はどこにもないと木本氏は言うが、「左大臣」は現代風にいえば「総理大臣」であり、総理大臣が遷都の後、官房長官に「老齢だから」と諭され、新たな都に入れなかったというのは、無血クーデターを想定せざるをえないのである。

文章に残っていないから、そんなことはあり得ないという発想は、想像力の欠如であり、無血クーデターであったからこそ、不比等は実態を闇《やみ》に葬《ほうむ》ったという見方を、なぜできないのであろうか。

おそらく石上麻呂は、ひとり藤原京に残され、臍《ほぞ》をかみ憤死したにちがいないのである。

藤原氏を糾弾する『竹取《たけとり》物語』

石上麻呂が藤原不比等に捨てさられた傍証は、意外なところに残されている。それが、「かぐや姫」の物語として名高い『竹取物語』である。

平安前期に成立した『竹取物語』は、紫式部《むらさきしきぶ》をして「物語の出《い》で来《き》はじめの祖《おや》」とたたえさせた日本最古の物語である。

『竹取物語』に登場する人物群が実在したのではないかという説は、すでに江戸時代の国学者・加納諸平《かのうもろひら》が提出している。『公卿補任《くぎようぶにん》』の文武《もんむ》五年（七〇一）の閣僚名簿が、物語の登場人物とぴったり合ってくるからである。

そして、この中に、藤原不比等と石上麻呂にそっくりな二人がいる。それが、くらもちの皇子《みこ》（不比等の母は車持《くるまもち》氏の女人のため、加納諸平はこの人物を藤原不比等とみなした）といそのかみまろたり（以下中納言《ちゆうなごん》）なのである。

『竹取物語』は、竹取の翁《おきな》が竹のなかにみつけたかぐや姫に、多くの貴人が求婚し、数々の難題をふっかけられ、みな失敗する、という話である。ただこのなかで、登場人物ごとに、作者の「思いこみ」が、強烈な差となって現れている。

たとえば、くらもちの皇子の場合、

くらもちの皇子は、心たばかりある人にて

と、のっけから、「くらもちの皇子は謀略家である」と辛らつに批判する。

ちなみに、はっきりしたことはわからないが、『竹取物語』の作者は、貞観《じようがん》八年（八六六）に起きた応天門《おうてんもん》の変で藤原氏に仕組まれた紀《きの》氏の末裔《まつえい》、紀貫之《きのつらゆき》だったので

■ 竹取物語の隠された真実 ■

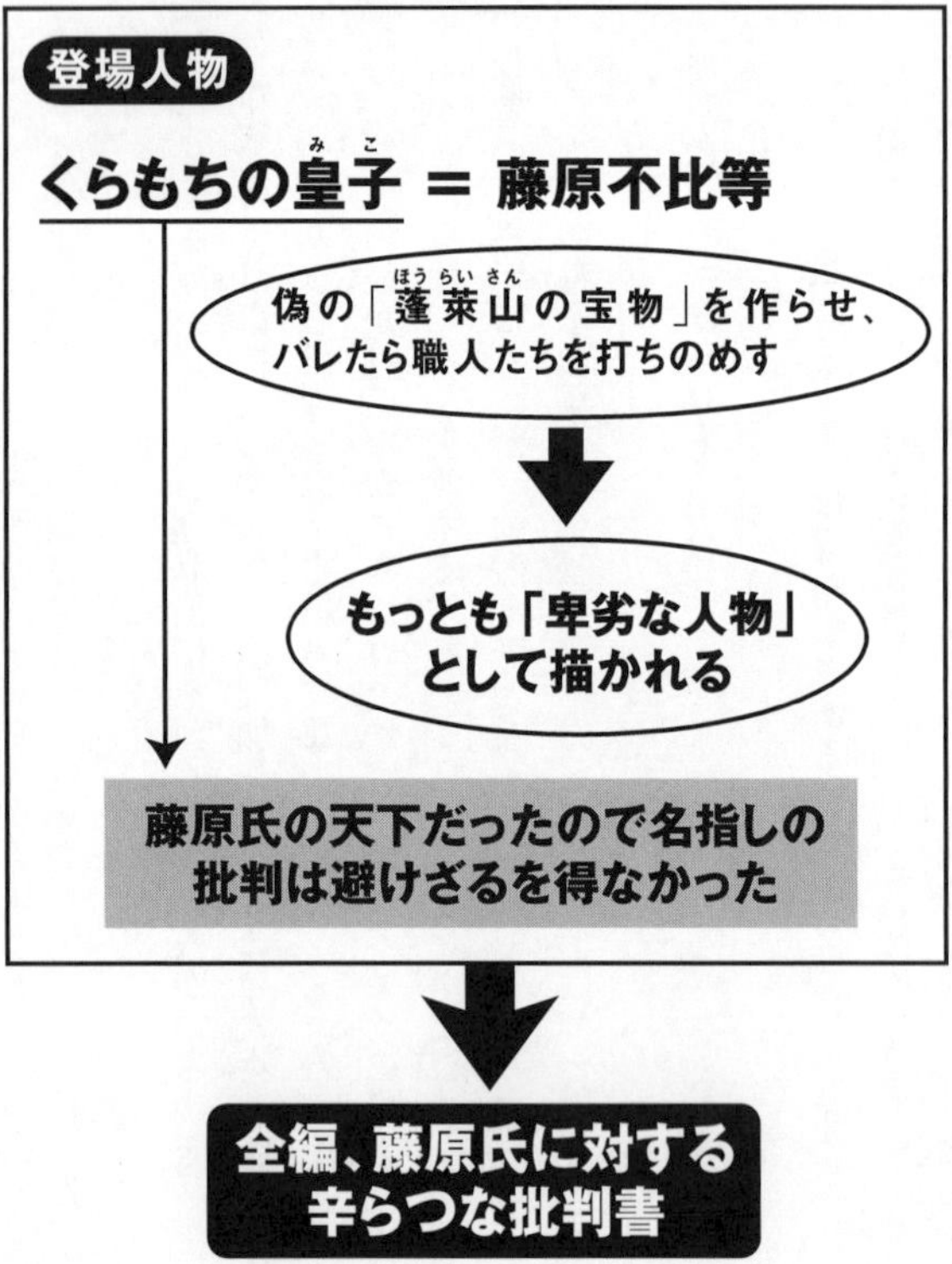
登場人物
くらもちの皇子《みこ》 ＝ 藤原不比等
偽の「蓬《ほう》莱《らい》山《さん》の宝物」を作らせ、バレたら職人たちを打ちのめす
もっとも「卑劣な人物」として描かれる
藤原氏の天下だったので名指しの批判は避けざるを得なかった
全編、藤原氏に対する辛らつな批判書

はないかとする説がある。十分ありうる話で、よほど藤原を恨んだ人物と考えられる。

それはともかく、かぐや姫の物語はつぎのように展開する。

くらもちの皇子は、かぐや姫に東海の蓬萊山《ほうらいさん》の宝物を取ってくるように要求される。そこでくらもちの皇子は、旅に出たような振りをして、難波《なにわ》に一流の工匠を寄せ集め、「蓬萊山の宝物」をつくらせる。そして、旅姿でかぐや姫の前に現れ、「命を張って、宝物を探して参りました」といって件《くだん》の宝物を見せた。翁はすっかり信用してしまい、はやばやと閨《ねや》の準備をし、二人を結婚させようとする。

かぐや姫はいやでいやでたまらない。

そこへ難波の工匠たちがたずねてきた。

「宝物を作るために食事も取らず、千余日の間尽力しました。けれども、いまだにお手当をいただいておりません。貧しい職人たちにお金をわけてあげたいのです。宝物を求められたのがかぐや姫ですので、こちらの家から報酬をいただきたい」

と訴える。くらもちの皇子は唖然《あぜん》とし、かぐや姫はうれしくて仕方がない。かぐや姫は喜んで工匠たちに褒美《ほうび》を賜った。

いっぽうくらもちの皇子は、そっと館《やかた》を抜け出し、工匠たちを待ち伏せし、血の流れるまで打ちのめし、かぐや姫の与えた報酬を、みなはぎ取ってしまったのである。

このように、くらもちの皇子＝藤原不比等は、『竹取物語』の中で、もっとも卑劣な人物として描かれている。

いっぽう、石上麻呂と同一と目される中納言の場合、まったく逆である。

中納言は、かぐや姫から、「燕《つばくらめ》が持っている子安貝《こやすがい》を取ってきて欲しい」と要求される。

子安貝は燕《つばめ》が子を産むときにお腹《なか》からでてくるという情報を得た中納言は、大炊《おおいの》寮《つかさ》の飯炊《めした》きの建物の燕の巣に注目した。とある知恵者が、子安貝の取り方を伝授する。それを信じた中納言は、籠《かご》に乗り、巣の中に手を入れ、平たい何かをつかんだ。ところが、つっていた綱が切れ、中納言は鼎《かなえ》の上にのけぞり落ちてしまうのである。しかも手にしていたのは燕の糞《ふん》で、中納言は気落ちし、衰弱し、亡《な》くなってしまう。かぐや姫は少し気の毒に思った、というのである。

この話の中に、物部氏と皇位継承に関《かか》わるいくつもの暗示が秘められていると指摘したのは、共同研究者の梅澤恵美子氏である（『竹取物語と中将姫伝説』三一書房）。

子安貝は「皇子」であり、物部氏が務めてきた皇子の養育係「湯坐部《ゆえべ》」の地位の崩落にほかならない、という。すなわち、それまで天皇家に近侍し、皇位継承問題に深くかかわってきた物部氏が、「子安貝」をつかみ損ねてしまった……すなわち、藤原にその地位を横取りされてしまったのだ、と結論づけるのである。

その通りであろう。しかも、中納言は、知恵者のおかげで籠に乗せられ持ち上げられ、真っ逆様に転落するのである。これは、まさしく、左大臣に登りつめながら、平城京遷都の際捨てられた、石上（物部）麻呂そのものなのである。

藤原のための天皇に同情したかぐや姫

ところで、『竹取物語』の最後は奇妙な結末を迎える。

貴公子たちの求婚を払いのけたかぐや姫は、入内《じゅだい》の要請も断り、月に帰っていく。満月の夜、月の都の人々が迎えに来る。天皇の遣わした兵士たちが矢を射かけようとしても、射ることができない。月の王らしきものがかぐや姫に向かって、

いざ、かぐや姫、穢《きたな》き所にいかでか久しくおはせむ

と言い放った。「穢き所」とは、平安の世であり、藤原の天下である。

かぐや姫は世話になった翁に手紙を書き終える。すると月の人に天《あま》の羽衣を着せら

れそうになるが、それを押しとどめる。

「衣を着た人は、心が人でなくなるという。その前に、一つ言い残しておきたいことがある」

といい、入内できなかったことを帝《みかど》に詫《わ》びる手紙を書いた。そのなかには、つぎのような歌が添えられた。

いまはとて天の羽衣きるをりぞ君をあはれと思ひ出《い》でぬる

今私は天の羽衣を着ますが、この時になって、君（帝）をお慕いする気持ちが湧《わ》きあがって参りました、というのである。

かぐや姫は「不死の薬」とともに、この手紙を残すのだが、天皇は天皇で、

「かぐや姫のいないこの世で、なぜ長生きする必要があるのか」

といい、薬を天にもっとも近い富士山で、焼き捨てさせてしまうのである。

この『竹取物語』のストーリーは、藤原氏に対する辛らつな批判に満ちているので

ある。

かぐや姫がもっとも嫌ったのは、藤原不比等と目されるくらもちの皇子であった。くらもちの皇子は、唯一《ゆいいつ》かぐや姫をだまし、しかも、工匠たちを利用し、邪魔になるとしこたま叩《たた》きのめすのである。

いっぽうかぐや姫は、はじめは拒絶していた入内も、最後の最後に、「今こうして思えば、帝をお慕いしておりました」と言い残すのである。

これは、「藤原」に悪用されるだけの「天皇」に対する同情であろう。

もっとも、天皇家は藤原に利用されるだけではなかった。奈良時代のある時期、天皇家は藤原氏と対立していた。それが誰あろう聖武《しょうむ》天皇で、『竹取物語』は、この帝の時代を念頭において書かれたのではないかと思われる節がある。

聖武天皇は不比等も期待したほどの「藤原の子」であったが、あるときから豹変《ひょうへん》し、藤原権力と死闘を演じていた。そのきっかけは、不比等の子の四人兄弟が、長屋王を葬ったあと、天然痘《てんねんとう》で一気に滅亡したことに求められるが、このあたりの事情はのちにもう一度触れようと思う。

藤原に滅ぼされた長屋王

ところで、『竹取物語』のいそのかみまろたりらが実在の人名とそっくりなのに、くらもちの皇子だけが暗示的な命名だったのは、『竹取物語』が過激に、藤原を批判していたからと思いいたる。平安時代は藤原の天下であり、時の権力者を名指しで批判することはできなかったわけである。

それにしても、なぜここまで『竹取物語』は藤原を辛らつに批判したのであろう。

それは、奈良時代から平安時代にかけて、藤原氏が手段を選ばぬやり方で、政敵をうち倒してきたことと無縁ではない。

そこで、藤原氏が独裁権力を握るまでに、何をしでかしてきたのか、その一つ一つの事件を追ってみたい。その経過をみるにつけ、藤原氏が他氏との共存共栄を願っていたとはとても思えなくなるはずである。そして、藤原氏の独善的な手法によって、多くのものが非業《ひごう》の死をとげ、深い恨みを抱いて藤原氏に祟《たた》ってでているのである。

この藤原氏繁栄の暗部を正視しない限り、日本史の真相をつかむことはできないだろう。

そこでまずは、長屋王の変である。この人物についてのあらましはもう話しているので、手短に済ませよう。

すでに触れたように、長屋王と藤原四兄弟の衝突は、時間の問題であった。そして、基皇子《もといのみこ》の夭逝《ようせい》とほぼ同時に、聖武天皇と夫人・県犬養広刀自《あがたのいぬかいのひろとじ》の間に安積《あさか》親王が誕生したことが、長屋王の寿命を縮めた。このまま時間が推移すれば、安積親王が皇位を奪うはずだからである。

藤原氏にすれば、「藤原の天皇」は生命線である。そこで、藤原氏は光明子を「皇后」に押し上げることで、安積即位の芽をつみ取る作戦にでたのである。そうすれば、安積よりもあとに光明子に皇子が生まれても、その皇子を即位させることができるし、光明子には阿倍内親王《あべのないしんのう》（後の孝謙《こうけん》・称徳《しょうとく》天皇）がいて、女帝を生み出すことも可能であった。

問題は、「大夫人《だいぶにん》称号事件」（216ページ参照）に際し、長屋王が反発したことで、皇族でないものを皇后に押し上げようとすれば、必ず長屋王が邪魔になると読んだわけである。

基皇子の死の翌年、天平《てんぴょう》元年（七二九）、長屋王は「左道《さどう》」を学んでいるとして訴えられたのだ。ここにいう「左道」とは、道術の一種とも、またよこしまで悪いこと

のだ」

「左大臣長屋王は、むごくねじ曲がり、暗く悪い心根を持っていた。それが今回明らかになったのだ。悪行を尽くしていたから、目の荒い寛容な法律にさえ引っかかった

『続日本紀』は、この時に出された勅《みことのり》を記録している。それによれば、

を学ぶの意ともいわれ、つまり、根拠も深い意味もない。

こうして長屋王と室の吉備内親王《きびないしんのう》、その子等が自尽して果てた。もっとも、長屋王の夫人だった藤原不比等の娘とその子らは許された。

長屋王の変が冤罪《えんざい》であったことは、『続日本紀』自身が認めている。

事件から九年後の天平十年（七三八）七月十日、長屋王と親交のあった大伴宿禰子《おおとものすくねこ》虫《むし》が、碁を打っている最中に相手を斬《き》り殺してしまう、という事件が起きた。被害者は中臣宮処連東人《なかとみのみやこのむらじあずまひと》で『続日本紀』は、この時、話題が長屋王におよび、子虫は憤慨したというのだ。なぜならば、東人は長屋王を「誣告《ぶこく》」した人だったから、とする。

「誣告」とは、嘘《うそ》の報告であり、長屋王に罪のなかったことは、ここに明確に記されていたことになる。「誣告」した人間がのうのうと生きていられたのは、背後で権力者が糸を引いていたからにほかならず、それはいうまでもなく藤原氏である。

長屋王の死の直後、光明子の立后《りっこう》は実現したのである。

藤原の子・聖武天皇の豹変

藤原氏に狙《ねら》われたつぎの皇族は、聖武天皇の皇子・安積親王である。

安積親王の悲劇の背景には、やや複雑な要素が秘められている。

長屋王の変から八年後の天平九年（七三七）、絶頂期を迎えていた藤原四兄弟に悪夢が襲う。九州で流行していた天然痘がヤマトに伝わり、四人は四ヶ月の間に次々と死んでいってしまった。ここに権力の空白が生まれ、橘諸兄《たちばなのもろえ》、僧・玄昉《げんぼう》、吉備真備《きびのまきび》ら反藤原派が、一気に政権の頂点に躍り出たのである。

問題は、藤原の子・聖武天皇の動向にあった。聖武はここから豹変し、藤原権力と敵対していくのである。なぜ聖武は変わったのだろう。

一般には、反藤原派の台頭で、彼らの神輿《みこし》に乗ったと考えられているが、それは間違いだ。藤原の子であることがこの帝《みかど》の存在意義であったが、その役割を帝自身が憎《ぞう》悪《お》し始めたのである。

天平十二年（七四〇）、九州の地で藤原広嗣《ふじわらのひろつぐ》の乱が起きているさなか、「時期が悪いとはいえ、やむを得ぬのだ」と言い放ち、聖武天皇は彷徨《ほうこう》の旅に出てしまう。

通説は、この聖武の行動を「ご乱心」とみるが、瀧浪貞子《たきなみさだこ》氏が指摘するように(『帝王聖武』講談社選書メチエ)、聖武の東国行幸《ぎようこう》の行程は天武《てんむ》天皇による壬申《じんしん》の乱の足跡をたどっている。これには確たる目的が秘められていたはずである。広嗣の乱に呼応して、畿内《きない》の藤原氏にも不穏な動きがあった。これに対し聖武は、「ふたたび壬申の乱をやってもいいのだぞ」と脅《おど》したのではなかったか。壬申の乱を藤原側からみれば、大友皇子擁立に失敗した大きな蹉跌《さてつ》であり、天武に敗れた苦い思い出にほかならない。

聖武天皇の「転向」には、意外にも光明子の導きがあったようなのだ。

藤原四兄弟が全滅した四ヶ月後の天平九年十二月、『続日本紀』には、つぎのような奇怪な記事が載る。

この日、皇太夫人藤原氏(聖武天皇の母で不比等の娘・宮子)は、皇后宮において玄昉法師と会った。聖武天皇も皇后宮にきていた。皇太夫人は幽憂に沈み精神を患《わずら》っていたために、聖武天皇を生んだときから、別々に暮らし、一度も会ったことがなかった。ところが、玄昉が看病してみると、突然目がさめたかのように、正気を取り戻した。こうして、偶然ながら、宮子と聖武天皇は再会した。

■ 聖武天皇はなぜ豹変したのか？ ■

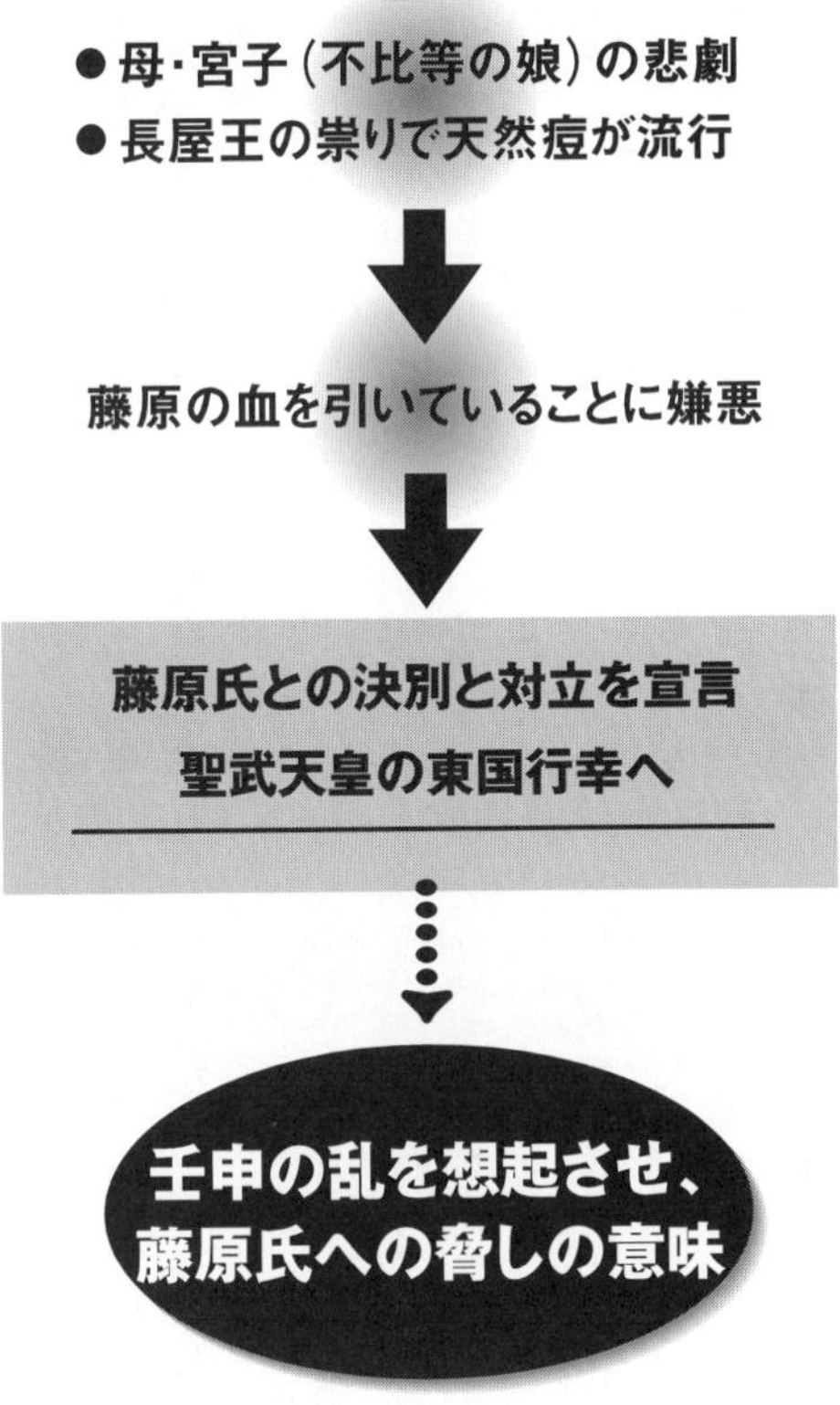
●母・宮子（不比等の娘）の悲劇
●長屋王の崇りで天然痘が流行
藤原の血を引いていることに嫌悪
藤原氏との決別と対立を宣言
聖武天皇の東国行幸へ
壬申の乱を想起させ、
藤原氏への脅しの意味

異常な記事である。

聖武天皇は三十数年もの間、母と隔離されていたという。その場所は、元の不比等邸で、今は皇后の光明子のものとなっている。その藤原の牙城《がじょう》で、母はだれにも会わずにひっそりと暮らしていたという。ところが、玄昉が介抱したら、その場で正気に戻った、というのである。

本当に宮子は幽憂に沈んでいたのだろうか。そうではあるまい。宮子の母は葛城《かつらぎ》の賀茂《かも》氏の女人であり、物部や蘇我との間に強い接点がある。聖武天皇を藤原の子として純粋培養したかった不比等にすれば、この母が邪魔になったのではあるまいか。

そう考えるとすべてのつじつまが合ってくる。

聖武天皇は、それまで何も知らなかっただろう。しかし、光明子は、姉・宮子に対する父の仕打ちを常に批判的にみていたのではあるまいか。そして、藤原四兄弟の滅亡によって、解いてはならない封印を開いてしまったのであろう。そして、聖武が「藤原の子」であることの意味、天武王朝と藤原一族の真実の歴史を知ってしまったにちがいない。

母の悲劇を知って、聖武は「藤原の血を引いていること」にすら、嫌悪を覚えたはずである。

光明子にしても、藤原四兄弟の死が大きな転機になったであろう。藤原氏一党の権力を守るために、長屋王を陰謀で葬《ほうむ》り去った。しかし、その代償はあまりに大きかった。後にふたたび触れるように、天然痘の流行は長屋王の祟りと考えられ、その祟りのすさまじさに、光明子はおののいたはずである。

「積善《せきぜん》の藤家《とうけ》」を自称し、さらには旧藤原不比等邸に「滅罪之寺《めつざいのてら》」を建立《こんりゅう》し、施薬院《せやくいん》、悲田院《ひでんいん》を設けたのは、光明子自身が「藤原の罪」を深く悔いていた何よりの証拠であろう。

そして、だからこそ、聖武天皇の謎《なぞ》の東国行幸の意味がはっきりしてくる。聖武天皇は、明確に藤原との対決を宣言したのである。

藤原に殺された安積親王

安積親王の悲劇は、聖武天皇と藤原仲麻呂《なかまろ》との暗闘の一幕であった。

藤原仲麻呂は藤原四兄弟の長兄・藤原武智麻呂《むちまろ》の子である。四兄弟の滅亡後、没落した藤原氏を建て直したのがこの男で、後に恵美押勝《えみのおしかつ》と名をかえる。

それはともかく、安積親王の死は、深い謎に包まれている。

天平十六年（七四四）、この当時聖武天皇は平城京の北側、木津川《きづ》を挟んだ向こう側の恭仁京《くにきょう》（京都府南部。現在の木津川市加茂町、木津町、山城町にまたがる）に滞在したが、難波京《なにわ》遷都《せんと》を目論《もくろ》んでいた。

聖武天皇はこの年の閏《うるう》正月十一日、留守居役を長屋王の弟・鈴鹿王《すずか》と藤原仲麻呂に命じ、難波行幸《ぎょうこう》に出発する。そして『続日本紀』にしたがえば、途中の桜井頓宮《かりみや》（河内国河内郡桜井郷）にさしかかったところで、安積親王は「脚《あし》の病《やまひ》」にかかり、急きょ恭仁京に引き返し、その二日後、安積親王は恭仁京で急逝《きゅうせい》するのである。

慎重な判断を下す例の多い通説でさえも、さすがに安積親王は病死ではなく、藤原仲麻呂の手で殺されたとするほどなのだ。なぜなら、安積親王は聖武天皇の唯一《ゆいいつ》の男子であり、藤原氏にとっては邪魔でしょうがなかったからである。

親王の母は県犬養広刀自《あがたのいぬかいのひろとじ》であり、この一族には、橘諸兄という強力な後押しがある。光明皇后《こうみょう》の娘・阿倍内親王がすでに太子となっていたが、一つ歯車が狂えば、皇位をさらわれる危険が横たわっていた。

いっぽう、安積親王の「脚の病」という『続日本紀』の記述も怪しい。難波京を目前にして、なぜ恭仁京まで戻る必要があるのだろう。難波宮で休養するのが自然である。

これには聖武と仲麻呂の壮絶な主導権争いが隠されていたように思われる。聖武天皇は盧遮那仏《るしゃなぶつ》を祀《まつ》る寺の建立に奔走していたが、各地で山火事が発生し、目に見えぬ敵からの嫌がらせと妨害工作を受けていた。もちろんそれは、藤原仲麻呂の仕業とみられるが、なぜ仲麻呂が東大寺建立を妨害したかというと、次のようないきさつがあった。

平城京を軍事的に押さえ込む要《かなめ》の土地は東の丘陵地帯なのだが、その一帯を支配していたのは藤原氏だった。もちろんこれも、藤原不比等の深謀遠慮の賜物《たまもの》である。聖武天皇が平城京に対峙《たいじ》するように恭仁京に陣取り、また、難波に遷都を目論み、さらにこの後藤原の占拠する丘陵地帯をおさえるかのように東大寺建立を企てたのは、すべて平城京を藤原氏から取り戻したいという一心からであろう。だからこそ、仲麻呂はこれを阻止しようと動いたのである。そして、この聖武の執念と安積親王の悲劇はつながっている。要するに聖武天皇は、いかに藤原氏から権力を奪い返すかに腐心していたのである。

では、安積はなぜ急死したのだろう。ヒントは、半月後の聖武の行動に隠されている。難波宮の聖武天皇は恭仁京に使者を送り、駅鈴《えきれい》と内印（天皇御璽《ぎょじ》）・外印《げいん》（太政《だいじょう》官印《かんいん》）を難波宮に取り寄せ、実質的な遷都を強行している。駅鈴・内印・外印は、朝廷を動かすために必要不可欠な品々であり、権力の象徴である。どれ一つ欠いても、現実の政治は動かないのである。

『続日本紀』は「脚の病」というが、そのじつ安積親王は、聖武天皇の密命を帯びて、これらを取りに戻ったのではなかったか。

これは推測にほかならないが、藤原仲麻呂を恭仁京の留守役に命じ、そのうえで駅鈴や印を持ち出すことで、石上麻呂が藤原不比等にされたように、藤原仲麻呂を恭仁京へ置き去りにしようとしたと考えられるのである。

そして、この聖武天皇の行動を逆手に取り、仲麻呂は安積親王を殺《あや》めた疑いが強い。

暴虐《ぼうぎやく》な藤原仲麻呂のふるまい

藤原氏千年の歴史の中で、もっとも暴虐な人物はだれかといえば、それはなんといっても藤原仲麻呂であろう。安積親王をこの人物が殺めたのではないかと通説も疑うのは、この後のこの人物の残虐性と無縁ではない。

すでに触れたように、『大織冠伝《たいしょつかんでん》』を編纂《へんさん》したのはこの人物で、藤原不比等でさえ持ち得なかった独裁的な権力を手中にする。

のし上がるやり方も狡猾《こうかつ》で、聖武天皇が娘の阿倍内親王に譲位したのち、仲麻呂は紫微中台《しびちゅうだい》という問題の役所を創設し、仲麻呂が長官に就任している。

紫微中台の前身は皇后宮職《こうごうぐうしき》で、ようするに皇后の身のまわりの世話をするための令外《りょうげ》の官《かん》であり、政治的意味はほとんどない。ところが、仲麻呂は光明皇太后を孝謙天皇の後見役に押し上げると、皇太后のための紫微中台を「強化」し、国政の最高機関である太政官と同等の力をもたせることに成功するのである。

すなわち、太政官の中で仲麻呂に与《くみ》する人々に紫微中台の役職を兼任させ、孝謙天皇＝太政官、光明子＝紫微中台という、二重構造を作り上げてしまったわけである。この二重構造は、太政官の左大臣・橘諸兄と紫微中台の長官・藤原仲麻呂の対立の図式である。

天平勝宝《しょうほう》八年（七五六）五月、聖武上皇《じょうこう》が崩御。上皇の遺言で、孝謙天皇の後継者には、道祖王《ふなどのおう》が指名された。この人物の父は天武天皇の子・新田部皇子《にいたべのみこ》であり、道祖王の背後には橘諸兄がいた。

ところが、その翌年の天平宝字《ほうじ》元年（七五七）正月に橘諸兄が死に、さらに三月には、奇怪な事件が起きている。

孝謙天皇の寝殿の承塵《しょうじん》の帳《とばり》（屋根裏から埃《ほこり》が落ちるのを防ぐための布や板）に「天下大平」の四文字が浮かび上がっていたのである。孝謙天皇は皇族・群臣を寝殿に招き入れ、瑞字《ずいじ》出現を喧伝《けんでん》した。

ただそれだけである。しかし、この事件には裏があった。

同じ月、孝謙天皇は突然、皇太子道祖王を廃し、翌月、舎人《とねり》親王の子で藤原仲麻呂と親しかった大炊王《おおいのおう》を担《かつ》ぎ上げた。

孝謙天皇はその理由をつぎのようにいう。

「道祖王は先帝の遺詔《いしょう》によって皇太子に引き上げた。ところが、先帝の喪《も》も明けぬうちに、身のまわりの世話をする侍童《じどう》とねんごろになり、先帝に礼を失するばかりか、国家の機密を民間に漏らした。愚かな道祖王を、私は密《ひそ》かに廃そうと願っていたのだ。その矢先、寝殿の承塵に天下大平の四文字を得たのである」

何のことはない、「天下大平」の四文字は、道祖王廃太子《はいたいし》のための茶番劇だったのである。すべては、藤原仲麻呂の仕組んだ罠《わな》である。

問題は大炊王と藤原仲麻呂の関係にある。

藤原仲麻呂の長子・真従《まより》の死後、真従の妻に大炊王をあてがい、仲麻呂の自宅に、まるで自分の子のように囲い込んでいた。

■ 藤原仲麻呂の悪行の数々 ■

●安積《あさか》親王の急死

聖武天皇の難波行幸に同行した安積親王が「脚の病」にかかり、恭仁京に戻り、二日後に急死

↓

藤原仲麻呂を恭仁京に置き去りにしようとした聖武天皇の計画を逆手にとり、安積親王を殺した疑い

●橘奈良麻呂《たちばなのならまろ》、黄文王《きふみ》、安宿王《あすかべ》、大伴古麻呂《おおとものこまろ》の死刑、流刑

四人のクーデター計画を察知して捕らえた後、光明子が釈放するも、再度捕らえて拷問にかける

●道祖王《ふなどのおう》の廃太子

聖武天皇の遺言で孝謙天皇の後継者に指名された道祖王が突然廃太子され、藤原仲麻呂と親しかった大炊王《おおいのおう》が担ぎ上げられる

↓

最後は孤立し、恵美押勝《えみのおしかつ》の乱を起こすも、吉備真備《きびのまきび》に討ち取られる

その大炊王を、仲麻呂はつぎの天皇に押し上げようというのである。そして、橘諸兄の死によってかげりがみえはじめた反藤原勢力を、仲麻呂は一気に叩《たた》きつぶす。

天平宝字元年六月十六日、仲麻呂は一触即発の不穏な空気を察したのか、諸兄の子・橘奈良麻呂《たちばなのならまろ》ら、反藤原勢力の主だった面々を、この日の人事でことごとく左遷《させん》した。また、公《おおやけ》の行事以外で、「族」を無闇《むやみ》に集めることを禁じた。

七月二日、ついに二つの勢力の対峙《たいじ》は決定的な局面を迎える。大炊王と藤原仲麻呂を暗殺する計画が露見したのである。

密告によると、黄文王《きふみおう》・安宿王《あすかべおう》・橘奈良麻呂・大伴古麻呂《おおとものこまろ》らが兵四百をもって宮を囲み、残りの兵で不破《ふわ》の関を塞《ふさ》ぐという大がかりなものであった。

仲麻呂はさっそく首謀者を任意同行させた。ところがここで、皇太后光明子が、「連行された者たちは私の親族であるから、私を害するようなことをするわけがない」として、解放してしまった。謀反《むほん》人たちは、「稽首《けいしゅ》して恩詔《おんせう》を謝《しや》す」、つまり、首を垂れて、恩詔に感謝した。

光明子の母は橘諸兄の母でもあり、橘氏と光明子の間には血縁があった。

あわてたのは仲麻呂である。改めて兵を繰り出し、首謀者を連行した。

孝謙天皇は、

「謀反人たちを法に照らし合わせれば、死刑は免れぬが、ここは温情をもって対処し、罪一等を減じる」

と宣言したが、事態はまったく違った方向に進む。

多くの者たちが非合法的に「杖下《ぢやうか》に死し」てしまった。過酷な拷問《ごうもん》で、精根尽き果てて亡《な》くなっていったわけである。

このとき乱の中心にいた橘奈良麻呂は、つぎのように心情を述べている。

聖体（聖武上皇）が亡《な》くなり天下は乱れ、人心は定まらない。もし今藤原の息のかかった王を立てれば、われら一族は滅亡するであろう。

平安時代の紀氏が語ったように、藤原氏の繁栄と反比例して、他の氏族は滅びるのである。藤原氏に「共存」という発想はなく、自家だけの繁栄を願う、というところが特徴といえよう。これは、「藤原以前」のヤマトの豪族層には決してみられなかった発想である。

皇帝になった藤原仲麻呂

それはともかく、このクーデター未遂事件の結末は、あまりに陰惨なものであった。首謀者たちは、それぞれ「多夫礼《たぶれ》（常軌を逸しているもの）」「麻度比《まどい》（迷っているもの）」「乃呂志《のろし》（愚鈍のもの）」という蔑称《べっしょう》が与えられ、殺され、流刑《るけい》に処せられたのである。死刑、流刑にあったもの、計四四三人というから、史上まれにみる凄惨《せいさん》な事件と言っていい。

反藤原派の主だった者たちは、ここで全滅したといっても過言ではあるまい。

ここから藤原仲麻呂は暴走する。

大炊王が即位すると（淳仁《じゅんにん》天皇）、天平宝字二年（七五八）八月、「内相《ないしょう》（仲麻呂）は国家に大きな功労を残している。それに見合う名を与えようと思うが、諸卿《しょきょう》や博士らみなでいにしえになぞらえて協議して欲しい」という勅《みことのり》を発する。この結果、仲麻呂のたぐいまれな活躍を称賛し、「恵美」の二字の姓が、また、乱をよく制したところから「押勝」の名が与えられ、藤原仲麻呂は恵美押勝《えみのおしかつ》となった（ただし、以下、混乱を避けるため、藤原仲麻呂で統一しておく）。

翌年六月には、「大保《だいほう》（右大臣・仲麻呂）をばただに卿《まへつぎみ》とのみは念《おもほ》さず」つまり、仲麻呂はそんじょそこらの諸卿たちとは別格で、「朕が父《わ》」と思っている、というのである。

また、淳仁天皇は父・舎人親王に「皇帝」の称号を与え、回りくどい方法だが、仲麻呂は自らを「皇帝」になぞらえることに成功する。

それだけではない。

仲麻呂は淳仁天皇から、貨幣を鋳造する権利と「恵美家印」の所持を認めさせた。

本来国家の仕事である貨幣の鋳造を仲麻呂が行えるということは、仲麻呂は打出《うちで》の小槌《こづち》をもらったようなものだ。当然、仲麻呂の一族だけが肥え太り、逆に世間はインフレに困窮する、という事態に陥った。

また、恵美家印は、天皇御璽《ぎょじ》になぞらえるという代物《しろもの》で、太政官の合議や天皇の追認という、律令政治の基本を打ち破るものだった。

律令政治は文章によって政策が下達され、その文章には、天皇御璽が押されて初めて効力を発揮したのである。しかし、恵美家印がその御璽の代わりになるということであれば、仲麻呂は太政官の合意と天皇の追認を得るまでもなく、独自の政策を実行できるわけであり、独裁体制の完成を意味し、「天皇」「太政官」の存在意義すらなくなることになってしまうのである。

これは実質上の皇帝であり、仲麻呂の独裁政権が、こうして誕生した。

天皇家滅亡の危機を招いた藤原仲麻呂

天皇はなぜ永続したのか、という謎《なぞ》が日本史には横たわるが、実際には何回かの滅亡の危機はあった。最大のものは藤原仲麻呂の独裁と、この後に現れる道鏡《どうきょう》の存在にある。

仲麻呂は淳仁天皇を養子のように飼い慣らし、一線を踏み越え、天皇の権威を超越しようとした気配がある。仲麻呂政権が長く続いていたならば、日本に本当の「皇帝」が生まれていたかもしれない。それが阻止されたのは、藤原仲麻呂が「恵美藤原朝臣」の姓に変わったことに象徴されるように、他の「藤原」の一族でさえも、仲麻呂の繁栄のおこぼれをもらえなかったことにあった。

仲麻呂は朝堂《ちょうどう》を「藤原一族」ではなく、「自家（恵美家）」の人脈で独占しようとしたのだ。

さすがに、他の藤原氏も、これには閉口した。

結局仲麻呂は孤立し、最後は反乱を起こすも（恵美押勝の乱）、宿敵・吉備真備に討ち取られ、ここに、孝謙上皇が重祚《ちょうそ》し、称徳天皇が生まれる。

称徳天皇は、どこの馬の骨ともしれぬ僧・道鏡を寵愛《ちょうあい》し、これを天皇に押し上げようとした。

なぜ称徳は血迷ったのであろうか。

聖武天皇と称徳天皇の親子は、「藤原のための天皇ならない方がまし」と思っていたふしがある。

しかも、道鏡は俗称は「弓削《ゆげ》」で、ここに古代史を震撼《しんかん》させる事実が隠されている。

藤原仲麻呂は恵美押勝の乱の直前、称徳上皇が道鏡を寵愛する様をみて、

此《こ》の禅師《ぜんし》の昼夜朝庭《ひるよるみかど》を護《まも》り仕《つか》へ奉《まつ》るを見るに、先祖《とほつおや》の大臣《おほまへつきみ》として仕《つか》へ奉《まつ》りし位名《くらゐな》を継《つ》がむと念《おも》ひて在《あ》る人《ひと》なり

と言い放っている。道鏡の朝廷に仕えている様子をみると、先祖の大臣として仕えていた過去の一族の栄光を復興しようと企《たくら》んでいるのだ。だから、排斥してしまえ、というのである。

「弓削」の姓を持った過去の大臣クラスの人物といえば、蘇我馬子と対立して滅んだ「物部弓削連守屋《もののべのゆげのむらじもりや》」をおいてほかにはいない。しかも、実際に「弓削」と「物部」は、地縁的にも血縁的にも強く結ばれているのである。

とするならば、「藤原の私物」と化し、「藤原の打出の小槌」となった「天皇」そのものを、根本から破壊してしまおうという衝動に称徳天皇は駆られたのではあるまいか。しかも、新たな天皇には、物部の縁者をあてがおうという考えである。すなわち、饒速日命《にぎはやひのみこと》が降臨し、土着の長髄彦《ながすねひこ》を従え君臨した、ヤマト建国直前の姿に、「復古」しようという目論見《もくろみ》が垣間見《かいまみ》えるのである。

もちろん、これは、筆者の憶測にすぎない。

しかし、道鏡が物部系であった事実が、仲麻呂の口から漏れた意味は大きい。

静かな王朝交替

いっぽう、藤原仲麻呂を追い落とした他の藤原氏は、道鏡の即位をはばみ、その後、大きな動きを見せる。

文武天皇以来続いてきた「天武《てんむ》の血統」を、ここで断ち切り、「天智《てんじ》の血統」の復活を目論んだのである。

藤原氏にすれば、聖武天皇から称徳天皇へと続く、「反藤原の天皇」に辟易《へきえき》したにちがいない。

聖武も称徳も、どちらも本当なら、「藤原の子」であり、「藤原の天皇」であったはずだ。しかし、藤原四兄弟の死後、聖武天皇は豹変《ひょうへん》し、藤原との闘争の道を選んだのである。

どこで歯車が狂ってしまったかといえば、聖武が「天武の子」であることを意識したところから、である。

藤原不比等は天智の娘鸕野皇女《うののひめみこ》を即位させ、さらに『日本書紀』の神話を創作することで、観念上の天智王朝を開いた。しかし、聖武は祖父・藤原不比等の母・宮子に対する仕打ちを知り、天武朝の悲劇を知ってしまったのだろう。

聖武天皇が「天武の子」であることに目覚めた時点で、藤原の悲願は、観念上の天智朝である持統朝を捨て「本当の天智朝」を復活させることに移っていったと思われる。

幸運にも、称徳天皇は独身女帝であり、子がいない。天武天皇の末裔《まつえい》は、奈良朝の数多《あまた》の政争の中で、優秀な人材を次々に失っている（多くは藤原氏の陰謀にはめられたのだが）。

だから、称徳天皇の崩御こそ、王朝交替の最大の好機の到来といえた。

『続日本紀』宝亀《ほうき》元年（七七〇）八月の条には、称徳天皇の崩御を受けて、左大臣・藤原永手《ながて》、右大臣・吉備真備（真吉備）、参議・藤原宿奈麻呂《すくなまろ》、同藤原縄麻呂《なわまろ》、同石上宅嗣《いそのかみのやかつぐ》、近衛大将・藤原蔵下麻呂《くらじまろ》らが、「策《さく》を禁中《きむちう》に定《さだ》めて、諱《いみな》を立てて皇太子《くわうたいし》とす」とあり、天智天皇の孫・白壁王《しらかべおう》を皇太子にしたことが記録されている。

そして、白壁王に決まった理由が、「称徳天皇の遺宣《いせん》（遺言）」という形で語られている。

それによれば、白壁王は諸王の中でも最年長であり、先の帝（天智天皇）の功績もあるのだから、太子とすればよい、というのである。

こうして光仁《こうにん》天皇が誕生するのだが、この後継者選びには、いくつかの問題が隠されている。

称徳天皇は、白壁王が最年長であるから、とするが、数え六十二歳という老いぼれを、なぜここで担《かつ》ぎ上げたのだろう。しかも、光仁天皇は天武系ではない。天智の孫である。天武と天智は水と油であり、なぜ天武系の称徳天皇が、白壁王擁立を援護したのか、釈然としない。白壁王は天智系であることから陰の存在であり、危険から身を避けるために酒浸りの生活を自演していたほどである。

『日本紀略《にほんきりやく》』の宝亀元年八月条の百川伝《ももかわでん》（藤原百川）には、つぎのようにある。

称徳天皇の崩御に際し、天皇は後継者を決めていなかったので、右大臣・吉備真備は、長屋王の子・文室浄三《ふんやのきよみ》の擁立を画策した。これに対し藤原百川は左大臣・藤原永手、内大臣藤原良継《よしつぐ》らと相談し、浄三擁立を阻止しようとしたが真備は譲らず、浄三を皇太子に定めた。これに対し百川は偽《にせ》の宣命《せんみよう》を作り、吉備真備を煙に巻き、白壁王の擁立に成功した。吉備真備は「長生《ちようせい》の弊《へい》、この恥にあう」といい、隠居してしまった、という。

反藤原派の巨魁《きよかい》として最後まで抵抗した吉備真備も、藤原一族に囲まれては、いたしかたなかったのであろう。

藤原氏が白壁王擁立で足並みを揃《そろ》えたのは、やはり、「天智系の王家の再建」を悲願にしていたからであろう。たとえば藤原仲麻呂は権力の頂点に立とうとしていた頃、「淡海大津宮《あふみのおほつのみや》に御　宇《あめのしたしらしめ》しし皇帝（天智天皇）」は、聡明《そうめい》な聖君であったと激賞している。

藤原に殺された井上内親王《いのうえ》

もちろん、天武朝から天智朝への転換は、大きな歴史の曲がり角であり、それにもかかわらず、これほどスムーズに、さしたる混乱もなく政変が終わってしまったことを、どう考えればいいのだろう。

聖武天皇が「反藤原」運動に力を注ぐあまり、東大寺建立《こんりゅう》に没頭し、民百姓の困窮を作り出してしまったことは確かなことである。聖武天皇にすれば、あらゆる人の協力と自主性をもってこの寺をつくろうと目論んだのだが、結果的に事業は無謀なものとなってしまった。

橘奈良麻呂は謀叛《むほん》の疑いで捕縛されたとき、皮肉なことに藤原仲麻呂政権が継承することとなった東大寺建立事業を非難している。だが逆に仲麻呂が、事業を最初におしすすめた橘諸兄を非難し、奈良麻呂が反論できなかった、という場面が『続日本紀』にある。

このような奈良朝の混沌《こんとん》が、それこそ、「もはや王権のことなどどうでもいい」という「諦観《ていかん》」を、諸卿《しょきょう》や民百姓に持たせることになったのかもしれなかった。それでなくとも、律令制の矛盾がすでに噴出し、国家財政が逼迫《ひっぱく》、さらには、土地を手放し逃亡する百姓はあとを絶たないという状況を考えれば、吉備真備ひとりが騒いでも、天武朝を守らねば、という使命感など、もう朝廷の官人たちに残っているはずもなかった。

ただし、そこは老獪《ろうかい》な藤原氏のことである。天武系の井上内親王を光仁天皇の皇后に押し立て、その子・他戸王《おさべおう》を次期皇位継承者とした。これならば、天武系の皇族を推していた諸卿たちも、了承せざるを得なかったのではなかったか。へたに反発して藤原氏ににらまれれば、長屋王や安積親王、橘奈良麻呂らと同じ運命を辿《たど》らねばならない。だれが天皇でもいい、一族の安寧が約束されればそれでいいという感情が芽生えていたにちがいない。

もっとも、藤原氏は天智系の光仁天皇を生むだけでは安心できないと踏んだのであろう。光仁天皇擁立にもっとも尽力し、光仁天皇の信任厚かった藤原百川は、ここで井上内親王の追い落としにでている。

宝亀三年（七七二）三月、『続日本紀』には、「皇后井上内親王《くわうごうゐのうへのひめみこ》、巫蠱《ふこ》に坐《つみ》せられて廃《はい》せらる」とある。すなわち、皇后の井上内親王は、巫蠱《ふこ》（まじないをし、人を呪《のろ》うこと）をしたので、皇后位を剥奪《はくだつ》された、という。

事件が発覚したのは、裳咋足嶋《もくいのたるしま》なる人物が自首してきたからで、よくよく調べてみると、裳咋足嶋と井上内親王の巫蠱、厭魅《えんみ》は、かなり前々から行われていたことがわかった。ただし、足嶋に罪はあるが、年月がたちしかも自首してきたのだから、官位をくり上げる、というのである。

このいきさつから、井上内親王が藤原百川にはめられたことは明らかだ。共謀犯の出世がなによりもの証拠である。

同年五月、皇太子の他戸も、廃された。光仁天皇は言う。「皇太子他戸は、母井上内親王とともに厭魅《えんみ》大逆《たいぎやく》を一度二度のみならず何度も行っていたことがはっきりした。皇位はわたくし個人のものではなく公《おおやけ》のものだ。私情で我が子を皇太子にすることはできない。謀叛大逆の子を皇位につければ、後の世に平穏をもたらす政治ではなくなる……」と。

さらに、翌年十月、井上内親王は巫蠱に廃せられてよりのち、天皇の同母の姉・難波内親王を呪い殺したとして、大和国宇智《うち》郡に幽閉されてしまった。

それから二年後の宝亀六年（七七五）四月二十七日、『続日本紀』には、母子が仲良く同じ日に亡《な》くなったとある。

どう考えても、井上内親王と他戸王は殺されたとしか思えない。

もちろん正史は、死因について、何も記録していない。しかし、状況証拠はそろっている。

『公卿補任《くぎょうぶにん》』は、他戸廃太子事件は百川の策謀であったと記録し、また、『続日本紀』は、井上内親王の死の後、朝廷は内親王の墓を改葬し、手厚く祀《まつ》ったこと、また、その他の文書にも、井上内親王を「皇后」と言い直し、墓を「山陵（天皇や皇后の墓）」とよび、読経《どきょう》するなどしてさかんに祀ったことが見える。これはたんなる謀反人に対する接し方ではない。

『紹運録《じょううんろく》』には、井上内親王と他戸王が「獄中」で亡くなり、二人は今「竜」になっている、と説く。『水鏡《みずかがみ》』や『愚管抄《ぐかんしょう》』も、井上内親王の祟《たた》りが藤原百川を苦しめたと言い伝えている。

藤原百川の目論見は、天武系の血を引く他戸王を殺し、天智系の光仁天皇と百済系帰化人・和乙継《やまとのおとつぐ》の娘高野新笠《たかののにいがさ》の間の皇子・山部親王《やまべのみこ》（のちの桓武《かんむ》天皇）を皇太子にすることであった。

百川の陰謀は、こうして成就《じょうじゅ》したのである。それはおそらく、藤原不比等の執念がやっと実った瞬間であり、「天智の子」をいただき、藤原氏はここから安定した権力を握っていくのである。しかし、藤原が権力を握ったことの代償は、かなり高くつく。

というのも、ここから先藤原氏は祟りに悩まされつづけていくからである。

それがはっきりとわかるのは、平安時代に入ってからのこととなる。

ヤマトの祟りから逃れた桓武天皇

光仁天皇の治世は十一年続き、そのあと天応《てんおう》元年（七八一）に即位するのが桓武天皇である。

桓武天皇の即位は「辛酉《しんゆう》」に当たり、中国では革命が起こる年と信じられていた。そう考えると、桓武天皇は奇妙な星の下に生まれた人物だったのかもしれない。

それはともかく、桓武天皇は即位から三年後延暦《えんりやく》三年（七八四）五月十六日に平安京の前身となる長岡京（山背国乙訓郡《やましろのくにおとくに》長岡村）の造営を命じた。なぜ大和盆地を捨て、山背の地に移ったのであろうか。しかも、その翌年の正月の朝賀《ちようが》は長岡京で執り行おうという計画である。なぜこれほどまで、遷都《せんと》を急いだのだろう。

腐敗した奈良仏教界から逃れたかった、というのがかつての教科書的な答えであろう。たしかに、奈良時代、玄昉《げんぼう》、行基《ぎようき》、道鏡などなど、怪僧が何人も出現し、大きく政局を揺さぶった。怪僧と女帝が結びつき、王朝が傾きかけたのも事実である。桓武天皇を支える藤原氏も辟易《へきえき》したにちがいない。

桓武天皇は奈良仏教界どころか、仏教からも逃れようとしていたようで、当初長岡京に「仏寺」を建設するつもりもなかった。

しかし、遷都を急いだ理由はそれだけではないだろう。近年では、多くの発掘成果から、数々の可能性が挙げられている。

古代の流通、情報の流れは、「水」に頼る部分が大きかった。奈良盆地に都が置かれたのは、一つの理由に瀬戸内海を支配するためであった。瀬戸内海の制海権を得るには難波津《なにわのつ》を支配する必要があり、さらに、難波津を支配するには天然の要害の奈良盆地をおさえなければならなかった。

ところが、この頃、難波津は使えない状態になっていた。というのも、相次ぐ造都・造寺のために、木材が伐採され、難波津に土砂が流れ込んでいたためだ。そこで水運の便を確保するために、山背が注目されたのである。

だが、それだけで桓武天皇の「遷都への焦《あせ》り」を解き明かせるわけではない。

もっとも大きな理由、それは「祟りの恐怖」から逃れたい、というものではなかったか。

桓武天皇は、父光仁天皇と取り巻きの藤原一族が、井上内親王を陰謀によって殺したことを知らぬはずはなかった。

そして、事実、井上内親王は祟り、朝廷は必死になってこれを祀ったのである。桓武天皇の即位は井上内親王と他戸王の死なくしてはあり得なかったのであり、祟りは桓武にも降りかかるという恐怖心があっただろう。

長屋王の祟りが、藤原四兄弟を一瞬のうちに飲み尽くしてしまったという過去もある。

「天智朝」と「藤原一門」にとって、すでにヤマトは呪われた地となり果てていたはずである。そう考えることで、桓武天皇の焦りも理解できる。

ところが、心機一転、長岡京での再出発を目論んだ「天智朝」に、悪夢が訪れる。

延暦四年（七八五）四月、長岡京造営の責任者、藤原種継《たねつぐ》が、何者かによって射殺されてしまったのだ。しかも、下手人は桓武天皇の弟で皇太子の早良《さわら》親王と大伴家持《おおとものやかもち》だったと『続日本紀』はいう。

早良親王は捕らえられ、淡路《あわじ》国に流刑《るけい》となった。ところが途中、早良親王は抗議の絶食をし、亡くなってしまったのである。

事件は謎《なぞ》に満ちている。誰が何のために早良親王をはめたのか、はっきりしたことはわかっていない。藤原種継の一人勝ちを恐れた身内のだれかが大伴氏と早良親王を

■ 長岡京遷都の背景とは？ ■

● 奈良仏教界から逃れたかった

→ 教科書的な答え

● 当時の流通と情報の要「水」をおさえる

（土砂が流れ込んで使用できなくなった
難波津のかわりに山背に注目）

祟りからの逃避

井上内親王や他戸王の祟りなど
「天智朝」と「藤原一門」にとって、
ヤマトは呪われた土地となった

↓

しかし長岡京も呪われた土地に

● 造営責任者の藤原種継が射殺される
● 桓武天皇の母、皇后までも死去
● 天然痘の流行

抱き合わせにしてはめたのではないかと筆者は密《ひそ》かに勘ぐっているが、もちろん憶測にすぎない。

ただ一ついえることは、早良親王が新たな祟り神となり、暴れ回り、人々を恐怖のどん底に突き落としていたことである。

延暦八年（七八九）には、桓武天皇の母・高野皇太后が亡くなり、桓武天皇の皇后・乙牟漏《おとむろ》までもが世を去った。延暦九年には天然痘《てんねんとう》が大流行し、桓武天皇は、早良親王をあつく祀ったのである。

こうして長岡京も呪われた地となった。延暦十三年（七九四）の平安京遷都には、こうした背景が横たわっていたのである。

呪われた平安京

平安京は桓武天皇や藤原氏にとって、追い求めた末に行き着いた、安寧の土地であった。ところが、この地も、次第に百鬼夜行の都に化けていく。政敵を容赦なく粛清していく藤原氏の執念が、数多《あまた》の恨みを生み出していったのである。薬子《くすこ》の変、承久《じょうきゅう》の変、応天門の変など、奇怪な陰謀事件が相次ぎ、藤原氏の天敵は次々と倒されて

■ 菅原道真の祟りとは? ■

菅原道真…「非藤原系」の宇多天皇の寵愛を受け、出世

→ 危機感を覚える藤原氏

→ 一族すべて左遷され、悲惨な晩年を迎える

道真の死から五年後

- 各地に干魃《かんばつ》
- 疫病が流行
- 主犯格の時平が死去
- 各地で洪水
- 京に隕石が落下
- 皇太子保明親王の死
- 清涼殿に落雷し、藤原清貫が即死
- 醍醐天皇も病の床に伏し、間もなく崩御

→ すべて道真の祟りとして恐れられる

いった。このため、藤原氏は湧《わ》き出るように出現する祟りに辟易《へきえき》していくことになる。

そして、藤原氏がもっとも恐れた祟り神は、なんといっても菅原道真《すがわらのみちざね》である。

菅原道真がどのように藤原氏にはめられていったのかについては、次章でふたたび触れる。ここでは、菅原道真がどのように祟り、藤原氏がそれをどう祀ったのかについて、簡単に説明しておこう。

学者・菅原道真は、平安前期の政争・阿衡《あこう》事件（297ページ参照）をきっかけに、「非藤原系」宇多《うだ》天皇の寵愛《ちようあい》を受け、政治家としての道を歩み、一族や親菅原派の官人が朝堂を次第に席巻《せつけん》するようにまでなった。当然藤原氏は危機感を覚え、一気に政権の転覆を目論む。菅原道真は延喜《えんぎ》元年（九〇一）大宰権帥《だざいのごんのそち》に左遷され、その二年後、配所で憤死する。道真の子供たちもみな左遷され、道真の恨みは深かった。大宰権帥の役職は名ばかりで、実態は流罪であり、雨漏りのする粗末な家で、道真は悲惨な晩年を送った。

都に異変が起きたのは、道真の死から五年後の延喜八年（九〇八）のことだ。道真追い落としの首謀者のひとり、藤原菅根《すがね》が没し、各地を干魃《かんばつ》が襲った。翌年からは疫《えき》病《びよう》が流行し、道真追放の主犯格・藤原時平《ときひら》が死去。今度は各地で洪水の被害がでて、また、京に隕石《いんせき》が落下するというおまけまで付いた。さらに延喜十年（九一〇）には、干魃と台風のダブルパンチで、道真の祟りにちがいないと大騒ぎになっていく。

しかし、これですべてが終わったわけではない。

延喜二十三年（九二三）三月、皇太子保明《やすあき》親王が死に、人々は口々に、「菅帥《かんそち》の霊《れい》魂宿忿《こんしゆくふん》のなす所なりという（菅原道真のかねてからの怒り、恨みにちがいない）」とうわさしあった。

醍醐《だいご》天皇は道真に正二位を贈り、左遷の詔書を捨てさせるが、祟りはこれで終わらなかった。まだまだつづきがある。

延長《えんちょう》三年（九二五）、保明親王の死をもって新たにたてられた皇太子も五歳で夭逝《ようせい》し、延長八年（九三〇）には、にわかに清涼殿《せいりようでん》を黒雲が覆《おお》い、落雷、藤原清貫《きよつら》が即死、醍醐天皇も病の床に伏し、間もなく崩御される。

みな、何らかの形で道真追い落としにかかわった人たちであり、宮中は恐怖のどん底に突き落とされた。

菅原道真は出雲《いずも》国造家《こくそうけ》の遠い親族・土師《はじ》氏の出であり、出雲神が雷とかかわり深いことからも、恐怖を倍増させていったかもしれない。

『大鏡《おおかがみ》』は、藤原時平の末裔《まつえい》がみな早死にするのは時平が「あさましい悪事を働いた罪」ゆえであり、菅原道真の祟りを受けているからだ、とする。

祟りによって藤原は馬脚を現した？

このように、藤原氏は七世紀から平安時代にいたるまで、多くの政敵を陰謀にはめ、うち倒してきたのである。

このため、人々の恨みを買い、その結果祟りに悩まされることとなる。『竹取物語』がくらもちの皇子を「心たばかりある人」と非難した理由も、これで明らかだ。

そして、藤原氏の恐怖心は、「御霊信仰《ごりよう》」という形になって現れる。「御霊」とは人の霊魂を尊んで呼んだもので、とくに祟る神を指し、「御霊神」と呼び恐れた。その御霊を手厚く祀り、怒りを鎮《しず》め、逆にその力を利用して自らの政治力に活用しようとするものである。

こうした御霊信仰は、奈良朝末期からはじまり、平安時代にさかんになる。貞観《じようがん》五年（八六三）には、平安京神泉苑《しんせんえん》で御霊会《ごりようえ》が催され、御霊神たちが祀られた。この時の神は、藤原種継暗殺事件ではめられた崇道《すどう》天皇（早良親王）、桓武天皇の皇子で藤原宗成《むねなり》の讒言《ざんげん》で追いつめられ毒をあおって自害した伊予《いよ》親王、同じく伊予親王の母・藤原吉子《きつし》、承和《じようわ》の変で無実の罪を着せられ流罪となり、旅の途中で憤死した橘逸勢《はやなり》といった面々である。この後、吉備真備らも加わり、ほとんどが藤原がらみの怨《おん》霊《りよう》たちが顔を合わせたわけである。

そして最後に、最強の怨霊として、菅原道真が御霊信仰の対象に祀られた。菅原道真は京都の北野天満宮に祀られ、天神《てんじん》信仰と結びついていったのである。

平安時代が祟りとの戦いであったことは、じつに重大な意味をもっている。

あらためて述べるまでもなく、平安時代は藤原氏の天下であり、その政権が祟りに怯《おび》えたのは、彼らの「悪行」の裏返しであり、また、祟りを鎮めることができないことで、彼らの創作した「中臣神道」の化けの皮が剝《は》がれたことを意味していた。したがって、藤原政権を襲った祟りは、政治史的にみても極めて重要な意味合いをもっていたのである。

たとえば、平安時代に祟り神が跋扈《ばつこ》したことによって、律令政治の理念の一角が崩れ去ってしまった気配がある。

以下、蛇足ながら、祟りの果たした政治的・経済的役割について考えておきたい。

律令の理念の一角を崩した祟りの威力

さて、祟りをおさえることができないことは、古代の朝廷にとってゆゆしき事態なのである。

祟りは何も、藤原氏だけを襲ったのではない。祟り神によってもたらされる干魃や台風、疫病といった自然災害は、多くの人々を苦しめたのである。

そして、恐ろしい祟り神を鎮めることこそ、神道《しんとう》の務めであり、それができる神聖な王だからこそ、百姓は稲を奉納する。この、神聖な者、神を祀る者に稲を奉納する、という行為こそが古代から中世にかけての「税」の基本であって、豊穣《ほうじょう》を約束できず、祟りをおさえることのできない為政者は見放されるのである。

豊作を祈る祈年祭《としごいのまつり》において、中臣氏はつぎのような祝詞《のりと》をあげる。すなわち、皇祖《こうそ》神《しん》（祈年祭で祀られる神の中心には、天照大神《あまてらすおおみかみ》がいた）の力で収穫できた稲穂や種々の収穫物をもって再生産すれば、ふたたび神の加護を得て豊穣がもたらされるであろう、というのである。

同様の内容の規定が律令にもあって、全国の神社の祝部《はふりべ》を神祇官《じんぎかん》の役所に集め、皇祖神に祈りを捧《ささ》げた幣帛《へいはく》を班給《はんきゅう》していたのだ。

つまり、農民から納められた穀物から翌年の種籾《たねもみ》を取り、それを聖なる王が祀り、農民に再分配されたことがはっきりわかる。

ところが、八世紀後半から九世紀前半にかけて、このカラクリに異変が起きる。

たとえば、伊勢国桑名《くわな》郡の多度《たど》神宮寺では、つぎのような神託が降りたという。多度の神は、長い時間を経て、本来の姿からかけ離れ重い罪業をなし、神道の報いを受けることになった。だから、三宝（仏教）に帰依《きえ》したい、というのである（『伊勢国桑名郡多度神宮寺伽藍縁起《がらんえんぎ》 幷《ならびに》 資財帳《しざいちょう》』）。

奇怪な神託である。なぜ神道の神が、神道から逃れようとしたのだろう。

義江彰夫《よしえあきお》氏は、『神仏習合』（岩波新書）の中で、この多度の神の神託は、「地方豪族層たちの願い」にほかならない、とする。そして、この事態こそが、後に神仏習合といわれる神道と仏教の融合を引き起こしたのだ、とするのである。

では、なぜこのようなことが起きてしまったのかというと、
八世紀後半という時代は、神を背負って支配をしてきた地方豪族が、全国いたるところでゆきづまりに直面し、仏教にその打開の道を見出《みいだ》しはじめた時代であった。

■ 律令制度の理念と祟りの関係とは？ ■

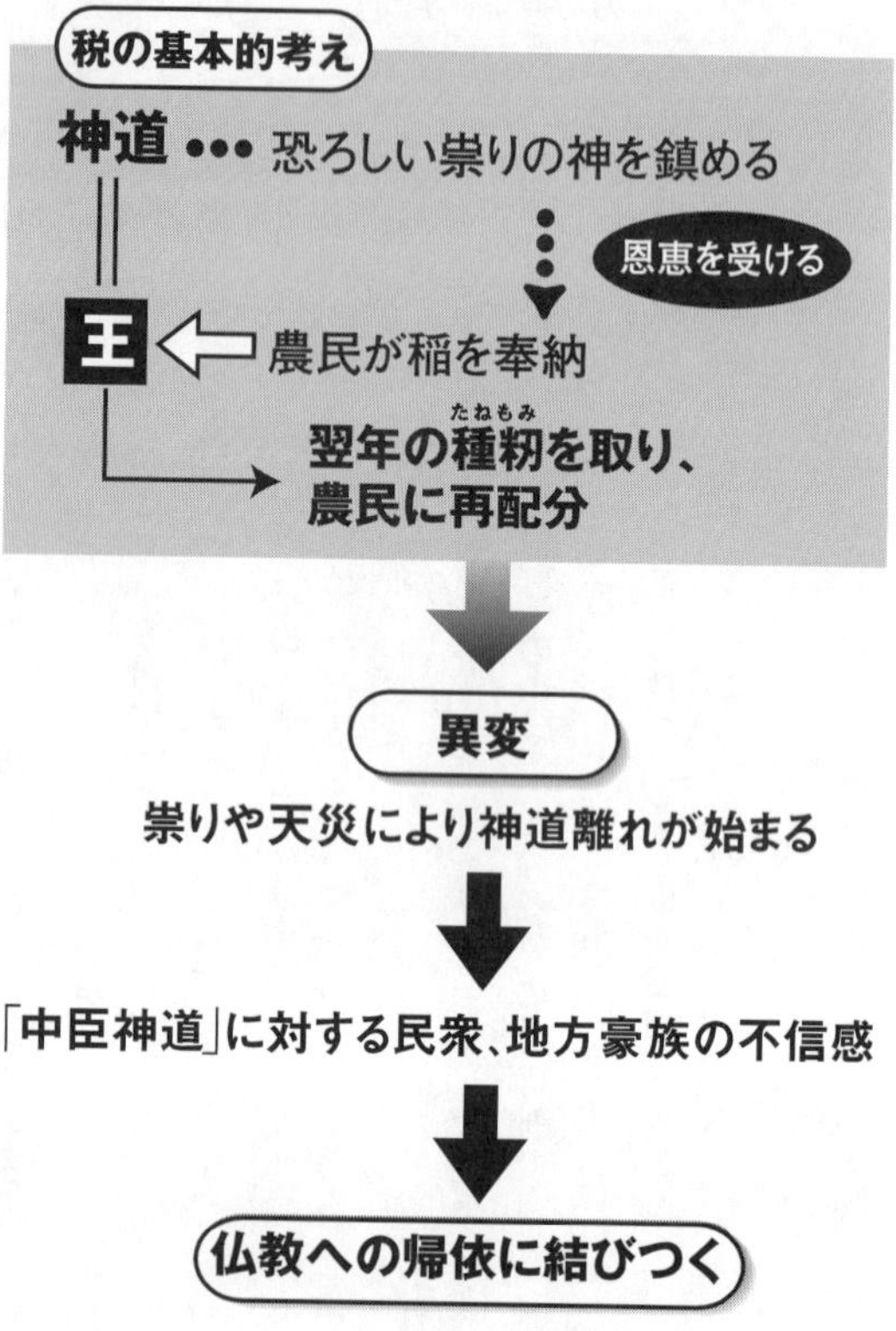
税の基本的考え
神道
恐ろしい祟りの神を鎮める
恩恵を受ける
王
農民が稲を奉納
翌年の種籾《たねもみ》を取り、
農民に再配分
異変
祟りや天災により神道離れが始まる
「中臣神道」に対する民衆、地方豪族の不信感
仏教への帰依に結びつく

とするのである。すなわち、律令制度の矛盾と欠陥が露呈し、地方豪族が税を払わない方便として仏教にすがりついた、という。

たしかに、義江氏の「律令制度」云々《うんぬん》はこの事態の原因の大半を占めていたかもしれない。しかし、もう一つ忘れてはならないのは、「中臣神道」に対する民衆、地方豪族の不信感ではなかろうか。

すでに触れたように、中臣神道は藤原氏が『日本書紀』を編纂《へんさん》し、新たな神話を構築し、藤原政権のために急ごしらえした新たな宗教観であろう。多度神宮の神が、「本来の神道の道を外れてしまった」と言いだしたのは、想像をたくましくすれば、このような中臣神道のカラクリの中に組み込まれてしまったことを嘆いていたと読み解くことができる。

中臣神道自体を、みな不審に思っていたのであり、事実、藤原氏の専横によって多くの祟り神が出現したが、そのたびに干魃や天候不順が起き、民衆や地方豪族はとばっちりを受けてきたのである。

神の神道離れという奇妙きてれつな現象が、藤原氏の政権の確立期とほぼ同時であることは、無視できない。中臣神道が真の日本の伝統的な宗教観ならば、このような事態が起こりえただろうか。

さらに、藤原氏自身にとっても、祟りを調伏《ちょうぶく》できないことに、いらだちを感じていたにちがいない。地方豪族ばかりではなく、藤原氏が築いた平安朝も、次第に仏教に帰依していくのである。しかもそれは、本来ならヤマトに捨ててきたはずの「奈良仏教的な力」であった。

そして、その「奈良仏教的な力」の中に、空海《くうかい》や安倍晴明《あべのせいめい》が入ってくるのである。

平安王朝が空海や安倍晴明を求めたわけ

なぜ平安朝は、空海や安倍晴明を必要としたのであろう。

この謎《なぞ》を解く鍵《かぎ》は、修験道《しゆげんどう》にある。修験道といえば、神道、仏教、道教など、ありとあらゆる宗教が渾融《こんゆう》したものとして知られる。

修験道は吉野の役行者《えんのぎようじや》（役小角《えんのおづぬ》）が開いた。

『続日本紀』には、役行者が葛城《かつらぎ》で修行していたこと、はじめ朝廷はその呪術《じゆじゆつ》を褒めていたとある。ところが、のち、民衆を妖惑した罪で、伊豆に流されてしまう。『日《に》本霊異記《ほんりようい き》』には、役行者は賀茂役公《かもえのきみ》（高賀茂朝臣《たかかもあそん》）の出身であったとある。

修験道が葛城の役行者にはじまった意味は大きい。

葛城が反骨の山になったのは、五世紀の独裁志向の雄略《ゆうりやく》天皇の出現に端を発する。雄略天皇は葛城山の神・一言主《ひとことぬし》を土佐（高知県）に追放し、また、葛城山の山麓《さんろく》一帯を地盤にしていた葛城氏を滅ぼした。しかし、七世紀に役行者が出現し、修験道が葛城や吉野を中心に広まると、これらの「山岳地帯」から反骨の僧が次々に湧《わ》きだしていった。行基や道鏡も葛城に修行し、藤原氏を嘲笑《あざわら》うかのように民衆の支持を取り付けていったのである。

中臣神道の隆盛と比例するかのように、山岳宗教がさかんになっていくのはけっして偶然ではあるまい。藤原氏によって潰《つぶ》されたかつてのヤマトの宗教観が、「修験道」と形を変えて生き残りの道を模索したのであり、その反骨の精神が、奈良仏教に侮《あなど》ることのできない影響を及ぼしていくのである。

たとえば、東大寺二月堂で天平時代以来途絶えることなくつづけられてきたお水取り（修二会《しゆにえ》）の行法は、明らかに修験道のそれであり、いわゆる国家仏教が拵《こしら》えたものではない。

後世、修験者が「鬼」扱いされていくのは、彼らが「鬼＝モノ」の宗教観を受け継いできたからであろう。「モノ」は「鬼」であるとともに「神」であり、天照大神を頂点とする一神教的な中臣神道に対し、明確なアニミズムの伝統を守った者たちであった。だからこそ彼らは森の中で修行するのである。空海も若き日に葛城に修行したが、空海の母方は物部系の阿刀氏《あとし》で、この阿刀氏の影響を空海は受けている。

平安朝廷が天才的宗教家、空海を求めたのは、強力な呪験力によって祟りを鎮めることができると期待したからであろう。なぜそうなのかといえば、空海が「鬼」の物部や「鬼」の葛城と深く結びついていたからで、恐ろしい祟り、人の手に負えない「鬼」を調伏《ちょうぶく》できるのは、「鬼」そのものでなければならないと考えたからであろう。

逆に言えば、「鬼」の祟りにおびえる朝廷を嘲笑い、「調伏して見せましょう」と持ちかけたのが、葛城の「鬼」であり、その末裔が空海だった、ということになろう。

平安貴族社会が崩壊し、鎌倉時代にいたると、法然《ほうねん》、親鸞《しんらん》、日蓮《にちれん》、一遍《いっぺん》などの僧が出現し、ダイナミックな活動をはじめるが、平安時代の終焉《しゅうえん》と自由闊達《かったつ》な民衆の息吹が爆発するのは、「藤原の一人勝ち」という暗黒の平安時代に対する反発であった。

そして、鎌倉仏教を支えた僧たちの多くが、比叡山《ひえいざん》や熊野《くまの》といった、「修験の山」と深く結びついていたことを無視できない。藤原によって封じ込められていた「日本的な宗教観」に復古することが、鎌倉仏教の一つの目的だったのではないかとさえ思いいたるのである。

第五章　藤原氏と日本の官僚の根源

平安という暗黒時代

平安時代という名には、どこか雅《みやび》な響きがある。国風文化が咲き乱れ、『源氏物語』に代表される多くの物語も誕生した。だが実情は、祟《たた》りとの戦いという側面を持ち合わせていた。安倍晴明《あべのせいめい》が求められ活躍した理由も、祟りからいかに逃れるか、平安貴族たちが模索していたからでもある。もちろん、その平安貴族の中心には、平安の世を制した藤原氏がいた。

平安時代は四百年弱続いている。これだけの安定期は日本史の中でも希有《けう》なことだ。途中、大きな合戦があったわけではない。鎌倉時代に突入する直前に、武士が台頭し、大きな混乱が起きるが、それまで平安京は、貴族たちが闊歩《かっぽ》し、まさに平穏な時代をおくりつづけてきたのである。

しかし、だから人々は幸せだったかというと、首を傾《かし》げざるを得ない。貴族たちは朝堂《ちょうどう》の権力争いに奔走し、陰湿な手口で自己保身に走った。

内部はドロドロのつぶし合いであり、外に向かっては、領地の拡大に奔走するという、朝廷の身勝手な論理の連続であった。

平安時代のつぎに来る鎌倉時代、貴族の没落とともに人間復興としての鎌倉仏教が隆盛するのは、このような平安貴族社会に、人々がうんざりしていた何よりの証拠であろう。

そして、このような平安時代を支配しつづけたのが、藤原氏であった。彼らの存在が、日本社会のシステムを形成し、江戸時代に行われた「鎖国」に匹敵するほどの、「内向き」で閉塞《へいそく》的な日本人を形づくっていったのである。

中世が戦乱の時代とはいえ、おおらかでダイナミックな社会であったこととは正反対である。

この点、朝堂を支配し、身内の論理だけを優先させた藤原氏の罪は大きい。そして、極論を許されるならば、今日の官僚システムの根っこには、このような藤原貴族の「文化」が継承されているのではないかと思えるふしがある。冒険を好まず、自己保身に走り、特権を享受《きようじゆ》する官僚の原形を作ったのは、藤原貴族社会ではなかったか。

ではいったい、藤原氏は、平安時代、どのような社会を築いていたのか、摂関《せつかん》政治にいたる道のりを振り返ってみよう。

四家に分かれた藤原氏

藤原氏は不比等《ふひと》の四人の子の末裔《まつえい》がそれぞれ、南家《なんけ》（藤原武智麻呂《むちまろ》）、北家《ほっけ》（房前《ふささき》）、式家《しきけ》（宇合《うまかい》）、京家《きようけ》（麻呂《まろ》）にわかれ、互いに牽制《けんせい》し、覇《は》を競いあった。平安時代は、藤原氏内部の権力闘争から始まったと言っていいだろう。そして、北家が勝利を収め、摂関政治が始まるのである。

京家は、もっとも地味な一族で、始祖・麻呂は聖武《しようむ》天皇の時代、参議、兵部卿《ひようぶきよう》と出世街道をのぼりはじめた矢先に天然痘《てんねんとう》に倒れ、その子・浜成《はまなり》は、延暦《えんりやく》元年（七八二）氷上川継《ひかみのかわつぐ》の乱に連座して失脚した。ここに京家の活躍はほぼ終わった。

南家は奈良時代、武智麻呂、豊成《とよなり》と、藤原氏らしくない文人肌の優秀で公正な政治家を輩出したが、仲麻呂《なかまろ》（恵美押勝《えみのおしかつ》）の暴走によって、勢いを失った。ちなみに、当《たい》麻寺《までら》の中将姫《ちゆうじようひめ》伝説の主人公は、豊成の娘という設定である。

式家は宇合の子・良継《よしつぐ》の娘である乙牟漏《おとむろ》が桓武《かんむ》天皇の皇后となり、宇合の孫・種継《たねつぐ》が桓武天皇の寵愛《ちようあい》を受け勃興《ぼつこう》するが、種継が暗殺される。さらにその娘・薬子《くすこ》は桓武天皇の皇太子安殿《あて》に娘を嫁がせ、東宮で幅を利《き》かせるが、一度失脚。その後安殿が即

■ 四家に別れた藤原家 ■

南家（藤原武智麻呂《むちまろ》）

奈良時代、武智麻呂、豊成と藤原らしくない文人肌の優秀で公正な政治家を輩出したが、仲麻呂（恵美押勝）の暴走によって勢いを失った。

北家（藤原房前《ふささき》） → **摂関政治へ**

房前は不比等の次男で参議として朝政に参加し、後に中衛大将となり、朝廷の武力を掌握した。長兄・武智麻呂が藤原の看板であるならば、房前はその陰にまわって実権を得ていった。

式家（藤原宇合《うまかい》）

式家は良継の娘・乙牟漏《おとむろ》が桓武天皇の皇后となり、種継が桓武天皇の寵愛を受け勃興するが暗殺される。さらにその娘・薬子は東宮で権勢を誇るが、一度失脚。その後安殿が即位し、平城天皇が誕生すると復活するも、薬子の変を起こし、服毒自殺して没落する。

京家（藤原麻呂《まろ》）

もっとも地味な一族で、始祖麻呂は聖武天皇の時代、参議、兵部卿と出世街道をのぼりはじめる矢先に天然痘に倒れ、その子・浜成は、延暦元年氷上川継の乱に連座して失脚し、京家の活躍はほぼ終わった。

↓

なるべく多くの身内を
高位高官につけるという不比等の目論見

位し平城《へいぜい》天皇が誕生すると、復活し、その後平城京還都問題を巡り薬子の変を起こし、弘仁《こうにん》元年（八一〇）服毒自殺して果てる。こうして式家は平安時代初期に、はやばやと没落する。

残されたのは北家である。

北家の始祖は、房前である。この人物は不比等の次男で参議として朝政に参加し、後に中衛《ちゅうえ》大将となり、朝廷の武力を掌握した。長兄・武智麻呂が藤原の看板であるならば、房前はその陰にまわって実権を得ていった。元明太上天皇《げんめいだいじょう》の寵愛を受け、内臣に任命されたように、権謀術数に長《た》けていた人物、という印象が強い。

もちろん、房前も、長屋王《ながやおう》を抹殺《まっさつ》した後、天然痘の病魔に襲われ、没している。房前の興した北家は、平安初期の混乱を制し、良房《よしふさ》の時代、摂政の地位に昇ると、その後摂関家を独占するにいたる。さらに北家は近衛《このえ》、九条、二条、一条、鷹司《たかつかさ》の五家にわかれ、明治時代にいたり、華族の頂点に君臨したのである。

藤原不比等の身勝手な法解釈

ところで、藤原氏が平安朝をわがものにしていくことのできたもっとも重大な要因は、自家を四つにわけたことと外戚《がいせき》の地位を守りつづけた、ということにある。

なぜ藤原氏は南家、北家、式家、京家にわかれたのであろう。

ここには、藤原不比等の深謀遠慮が隠されていたようである。

律令制度が整う以前、ヤマト朝廷には、明確な不文律があった。それは、蘇我氏なら蘇我氏、物部氏なら物部氏、一氏族の中から二人の参政官は出せない、というものであった。これは、「独裁権力」を排除しようという知恵であった。もちろん、このような慣習は、律令制度が整備されたのちも残された。

問題は、不比等がこの不文律を律令の中に明文化しなかったことである。そのうえで、藤原不比等の四人の子を「四つの家」にわけ、藤原氏から複数の参議官を輩出した。一氏族からひとりではなく、「一家からひとり」なのだからまちがっていないという屁理屈《へりくつ》を通したのである。

なるべく多くの身内を高位高官に付ける、という不比等の目論見《もくろみ》は、藤原を四つにわけることで基礎固めが行われたのである。日本の律令を作り上げた者という立場を利用した身勝手な法解釈である。

律令の建て前は、能力主義であり、いかなる人間でも、努力し能力があれば、高位高官に付けるはずであった。式部省《しきぶしょう》の実施する試験にパスすれば、官人としての道が開けるのである（貢挙《くこ》、任官試験）。

天皇（朝廷）に仕えて功を積み、その後に爵位《しゃくい》を得、さらに官位を得る、というのが律令の基本方針であり、理想であった。

しかし、下級官僚が上級官僚に出世するのは、物理的、現実的には無理だった。勤務日程、勤務評価などの厳しい規定をクリアして、役人は徐々に出世していく。だが、そのスピードは遅く、とても五位以上の高級官僚になることはできなかった。

また、任官試験も極めて狭き門だったようで、たとえば秀才科の合格者は、八世紀初頭以後二百三十年の間に、たったの六十五人であった。また、任官試験に受かっても、公卿《くぎょう》に登りつめたのは、全体の十パーセントにも満たなかった。さらに、大学で教えられることは、高級官僚になるための高度な政治理論ではなく、庶務をこなすための中流官僚育成のためのカリキュラムであったという（『万葉びとの生活』阿倍猛 東京堂出版）。

したがって、たいがいの場合、高級官僚になれるのは、「蔭位制《おんいせい》」の恩恵を受ける、名門豪族の子弟に限られた。

蔭位とは、大宝《たいほう》律令で創設された制度で、高級官僚の子息に与えられた特権である。たとえば、親王の子は数え二十一歳に達すると従四位下、一位官人《かんにん》の嫡子《ちゃくし》は従五位下に自動的に任じられ、さらに従三位以上の「貴族官人」の孫にも特権が用意された。このように、親や祖父の地位によって、高位高官を得られるシステムであった。

この官人の位階制度は中国の制度を真似《まね》したものなのだが、蔭位の上限を引き上げて改変していて、そのため、人事の流動性を著しく低下させ、一部の貴族層の繁栄が永続する弊害をもたらした。もちろん、ここにいう一部の貴族とは藤原氏にほかならない。

貴族になった藤原氏

また、平安時代初期、源氏の出現が、藤原氏の貴族化に拍車をかけた。

源氏といえば、武家の統領として名高いが、もともとは皇族賜姓《しせい》にほかならない。天皇の子や孫たちが、皇族ではなく、一般の氏族に成り下がるわけである。代表的な氏族に、平氏《へいし》や、奈良時代の橘《たちばな》氏などがいる。

皇族賜姓は、皇室の経済的な困窮と、天皇家の藩屏《はんぺい》、すなわち、守りを固めるために、はじまった。嵯峨《さが》天皇（在位八〇九～八二三）が子の信《まこと》や常《ときわ》らに源姓を与え、臣《しん》籍《せき》に下したことからはじまる。『源氏物語』の主人公光源氏《ひかるげんじ》も、卑母《ひぼ》の子ゆえに臣籍に下された者のひとりとして登場する。

結果、藤原氏にとって、源氏は最大の脅威になった。というのも、源氏が天皇の末裔であるために、他の氏族にはあり得ないような特別待遇を受け、若いうちから、高位高官の役職に就くようになった。しかし、藤原氏もしたたかなもので、源氏に与えられた特例、前例を逆に利用し、それまで以上に優位な特権を引き出すことで、対抗し、焼け太っていく。いわば、この時点で、藤原氏は他の氏族が真似《まね》のできないほどの安定した地位を約束されたわけであり、藤原氏が世襲的な貴族となった瞬間である。

このように、一定の高位高官の地位に藤原氏がこだわったのは、他氏を圧倒するほどの財力を蓄えていくことになるからでもあった。

官位が五位以上になると、俸禄《ほうろく》支給に大きな差が出る。さらに正三位の大納言《だいなごん》に昇ると、それまでとは雲泥の差の職封《しきふ》が与えられた。たとえば大納言は八百戸、左右大臣は二千戸、太政《だじょう》大臣は三千戸で、「一国」の戸数の平均が五千～六千戸であったことを考えると、とてつもない数字である。

この職封は大納言や参議《さんぎ》になれないともらえなかったから、ごく一握りの人間に与えられた特権だったわけである。

なぜこのような差別が起きたかというと、ひとつの理由に、氏族制度から律令制度に変わる際、それまで広大な土地を占有していた旧豪族層たちに、その土地を手放させ、律令という新しいシステムに組み込む段階で、彼らを納得させるだけの見返りを必要としたからであろう。

しかし、この結果、一部の特権階級が次第に土地を私有化していくようになり、財力を世襲化するようになっていくのである。そして、ここにいう一部の特権階級とは、ようするに、左右大臣や太政大臣らを常に輩出しつづけた藤原氏にほかならない。藤原氏は自ら編み出した律令の規定に守られ、特権的な俸禄をもらいつづけたわけである。

律令制度の根本は、全国の土地をいったん国家の所有とし、さらに戸籍に記された人々に、公平に農地を分配することであった（班田収授法《はんでんしゅうじゅのほう》）。しかし、律令の精神は、早い段階で崩壊し、土地を手放し逃亡する農民があとを絶たなかった。当然のことながら、国家財政は逼迫《ひっぱく》する。そこで養老七年（七二三）に三世一身法《さんぜいっしんのほう》、天平《てんぴょう》十五年（七四三）には墾田永年私財法《こんでんえいねんしざいほう》が発布される。

■ 土地制度に見る藤原氏の深謀遠慮 ■

律令制度による土地の私有化が進む

↓

班田収授法………　全国の土地をいったん国家の所有とし、さらに戸籍に記された人々に、公平に農地を分配する目的

↓

三世一身法………　農民の労働意欲をあおろうと、自ら灌漑施設を作り開墾した田を、本人から曾孫まで所有の権利を認め（収公しない・国家の所有に戻さない）、既存の灌漑施設を利用した上での開墾に対しては、開墾者が死ぬまで、私有を認めた

↓

墾田永年私財法…　開墾した田の永久的な使用を認めた

↑

時代の流れに反して藤原氏は私有化抑制を図る
藤原氏以外の諸卿が私有地を増やすことを恐れた

自家以外の繁栄を拒んだ藤原氏

　三世一身法は、農民の労働意欲をあおろうと、自ら灌漑《かんがい》施設を作り開墾した田を、本人から曾孫《そうそん》まで所有の権利を認め（収公しない、国家の所有に戻さない）、既存の灌漑施設を利用した上での開墾に対しては、開墾者が死ぬまで私有を認めたわけである。

　ところが、収公直前になると、農民がその田を耕さなくなってしまい、せっかく開墾した田が荒廃してしまうという弊害がでて、天平十五年に、開墾した田の永久的な使用を認めた（無制限にもっていいというわけではない。また、位階によって制限の幅があり、もちろん、一般の農民はすくないが）墾田永年私財法が出現したわけである。

　班田収授法の原則はこうして崩れ去り、「荘園《しょうえん》」という私有地が誕生するきっかけがここに生まれるのだが、何よりも興味深いのは、三世一身法にしろ班田収授法にしろ、土地の私有化を認める法案が、藤原氏の衰弱した時期に決められた、ということ、さらに、藤原氏はむしろ土地の私有化を抑制する立場にあった、ということなのである。

すなわち、三世一身法の成立した養老七年は、藤原不比等が没し、長屋王の出現したときであり、さらに墾田永年私財法の施行の天平十五年は、藤原四兄弟が全滅し、左大臣橘諸兄《たちばなのもろえ》の政権下であった。共産主義的発想の公地公民制度の行き詰まりと労働意欲の減退に、反藤原政権は、土地の私有化によって活性化の道を模索した、ということになろうか。これに対し、藤原氏は、なぜ私有化を抑制しようと動いたのであろう。

米田《よねだ》雄介《ゆうすけ》氏は、『藤原摂関家の誕生』（吉川弘文館）の中で、その理由をつぎのように述べている。

藤原氏が私的土地所有を行わなかったのではなく、藤原氏以外の王臣勢家《おうしんせいか》（藤原氏でも本宗家《ほんそうけ》以外）の私的土地所有に規制を加えるのが目的（後略）

だったというのである。すなわち、藤原氏以外の諸卿が私有地を増やすことを恐れた、というわけである。あまりにもせこいやり方である。

錐《きり》を突き立てる隙《すき》もないほどの土地を得ることができたと藤原氏が豪語したのも、

このような藤原不比等が築いた律令システムの欠陥があったればこそのことだったといえよう。

こうして、一度貴族になれば、子孫も貴族になっていく、という固定化された人事が罷《まか》り通っていくのである。

招婿婚《しょうせいこん》と外戚《がいせき》の意味

藤原氏の繁栄のための布石はこれだけではない。天皇家と外戚関係を結ぶことで、盤石な体制を確立することに成功する。

天皇に自家の娘を嫁がせ、その腹にできた子をさらに即位させることで、藤原氏が天皇を補弼《ほひつ》する体制を堅持していったのである。

なぜ姻戚関係を結ぶだけで、これだけの力を発揮したかというと、古代の婚姻形式に「招婿婚」があったからである。

招婿婚とは、結婚したら男性が妻の実家に入る、というもので、このため、古代における女性の地位の高さが確かめられる。明らかな女系社会であり、天皇も同じような形で成長した。

天皇は結婚しても妻（后妃《こうひ》）の実家に入ることはないが、宮中に妻の自室である「局《つぼね》」を置き、これが妻の実家の役割を果たす。しかもめでたく懐妊すると、妻は本当の実家に戻り出産し、皇子《みこ》を育てる。

ここで大切なことは、大事な皇子を女性の実家で育て、その女性の父母が皇子の成長を見守る、ということで、皇子と母、祖父母の間に、ひじょうに緊密な親愛の情が生まれる、ということである。ちなみに、この実家が夫の家に対する「外戚」に当たる。

藤原氏が天皇の外戚になることで権力を牛耳《ぎゅうじ》りつづけられたのは、このような招婚の特徴を利用したからで、妻の家で生まれた皇子が冊立《さくりつ》され立太子《りったいし》し、めでたく即位すれば、新たな天皇は母の実家との間に、非常に緊密な関係を保つことになったわけである。

したがって、どの皇子が立太子し、だれが即位するかで、「実家」側の命運が左右されたことになる。だから、天皇位をめぐる権力闘争とは、皇子本人の私欲、権力欲、出世欲に起因するのではなく、たいがいの場合、「実家」対「実家」の、家同士の対決となるわけである。

この点をしっかり把握しておくと、平安朝の政争の意味がはっきりしてくる。

■ 藤原支配の盤石化を図る「招婿婚」とは？ ■

天皇に自家の娘を嫁がせ、その子どもを即位させ、藤原氏が天皇を補弼する体制作り

↓

招《しょう》婿《せい》婚《こん》

結婚後、天皇は局（宮中における妻の自室）を置き、懐妊すると実家に戻り出産。皇子を実家で育て、妻の父母が成長を見守る

↓

皇子と母、祖父母の緊密な関係が生まれる

↓

外戚関係を築き権力を牛耳り続ける藤原氏

藤原が仕組んだ政変

藤原氏が平安時代を制していく過程には、いくつもの政変があった。すでに触れたように、薬子《くすこ》の変からはじまり、承和《じようわ》の変、応天門《おうてんもん》の変へと続く。

承和九年（八四二）の承和の変では伴（大伴）氏と橘氏が藤原良房の陰謀にはまり、没落、皇太子の恒貞《つねさだ》親王が追放され、北家繁栄の基礎が築かれた。事件の首謀者のひとりで流罪《るざい》の途中に死亡した橘逸勢《はやなり》は、その後無罪であることがわかり、御霊会《ごりようえ》で祀《まつ》られることとなるが、藤原氏が逸勢の祟りを恐れたのは、この事件がでっち上げだったからだろう。いつもの藤原氏の手口である。

貞観《じようがん》八年（八六六）の応天門の変は奇怪な事件である。

この年、閏《うるう》三月、内裏朝堂院《だいりちようどういん》の南側の応天門が炎上した。失火なのか、放火なのか、それも定かではなかった。治安の乱れを恐れた太政大臣・藤原良房は、やや大仰《おおぎよう》に、各地に警戒を怠らないように通達した。

直後、大納言・伴善男《とものよしお》が、右大臣で良房の弟の藤原良相《よしみ》に、今回の失火は左大臣源信《みなもとのまこと》の仕業であったと訴え出たから大騒ぎになった。伴善男と源信は不仲であったらしい。良相は良房の養子・基経《もとつね》に源信逮捕を命じたが、基経は、まず養父の良房に判断を仰いだのだ。

良房は伴善男の訴えは讒言《ざんげん》にほかならないと、清和《せいわ》天皇に諫言《かんげん》し、事件は一旦《いったん》沈静化した。

ところがそれから五ヶ月後、事態は思わぬ方向に進む。

伴善男の従僕《じゆうぼく》に子女を殺され、恨みを抱いていた大宅鷹取《おおやけのたかとり》という人物が、応天門の炎上は伴善男とその子らが放火したものだ、と密告してきたのだ。

清和天皇は藤原良房を摂政に任じ、事件の後始末を一任した。

良房はここで漁夫《ぎよふ》の利を狙《ねら》う。

はじまりは源信と伴善男の喧嘩《けんか》である。すでに源信には恩を売ってある、だから、どんな理不尽な手を使って伴善男を潰《つぶ》しても、源信は左大臣の立場でちょっかいは入れてこない、という読みがあったろう。

結果、伴一族は一網打尽にされ厳しく取り調べられた。しかし、彼らは否認しつづけ、確たる証拠もなく、尋問は長引いた。

九月にいたり、朝廷は事件を裁決した。伴氏の面々、さらには事件とはかかわりもなかったはずの紀《きの》氏にまで累《るい》は及び、みな遠流《おんる》の刑に処せられた。

藤原氏に敵対する最後の二つの名門氏族が、ここで一気に没落させられた。こうして、藤原に対抗しうる勢力は、ほとんどいなくなってしまったのである。

こうして、藤原氏の権力は、いっそう盤石なものとなっていった。

疑えばきりがないが、大宅鷹取の密告も、良房が仕掛けた可能性は拭《ぬぐ》いきれない。どうにも後味の悪い事件である。

はめられた菅原道真《すがわらのみちざね》

平安時代の藤原氏の陰謀で、もっとも名高いのは菅原道真左遷《させん》事件ではないだろうか。

菅原道真（八四五〜九〇三）は代々学者を輩出する一門に生まれた。詩才に秀《ひい》で、文章《もんじよう》学者となり、また、仁和《にんな》二年（八八六）には、明晰《めいせき》な判断力を買われ、讃岐守《さぬきのかみ》となって活躍した。

道真の運命を変えたのは仁和三年に起きた阿衡《あこう》事件であった。

藤原良房の養子・基経は、天皇家の外戚として、並び立つものがいないほどの権勢をほしいままにしていた。対立する幼帝を廃し、自由に動かせる老帝を担《かつ》ぎ上げていた。これが光孝《こうこう》天皇である。

ところが、光孝天皇が崩御して、藤原氏に暗雲が漂う。次期後継者に、光孝天皇の第七皇子の名があがったからだ。これが臣籍に降下していた源定省《さだみ》で、即位して宇多《うだ》天皇となった。母親は桓武天皇の孫で、藤原ではない。

宇多天皇は、基経に対し、政務を一任する趣旨の詔書《しょうしょ》を発したが、「阿衡」の二文字で表現したことが基経の機嫌を損ねた。

「阿衡」とは、中国の殷《いん》の時代の人、伊尹《いいん》が任じられた役職で、日本では先例がなく、具体的な職掌《しょくしょう》ではない。すでに先帝の時代、「関白」の地位を確立していた基経には、不満であったらしい。

そこで基経は政務をボイコットし、多くの学者を巻き込んで、「阿衡」のなんたるかをめぐる議論が巻き起こった。半年間の紛糾ののち、ついに宇多天皇が基経に謝ることで落着した。じつに大人気ない、下らない事件である。

下らないが、利は基経にあった。宇多天皇を押さえつけることに成功するからである。しかし、これが藤原氏には仇《あだ》となった。宇多天皇の恨みは深かったのである。

寛平《かんぴょう》三年（八九一）に基経が死ぬと、宇多天皇は親政をはじめる。そして、大抜擢《ばってき》したのが、菅原道真であった。

菅原道真は、基経の子・時平《ときひら》とともに、出世街道を登りつめた。大臣不在の中、時平は大納言、道真は権《ごん》大納言の地位を得た。

親政を目論む宇多天皇は、藤原氏に対抗するために、道真を登用するだけではなく、四人の源氏を太政官に引き入れ、さらに、藤原北家でも傍流の出の母をもつ敦仁《あつひと》親王を皇太子にした。これでは時平が外戚の特権を活《い》かすことはできない。

道真を寵遇《ちようぐう》し、親政を目論む宇多天皇に、時平は危機感を抱いた。あろうことか、宇多天皇は道真の娘・衍子《えんし》を娶《めと》ってもいる。

寛平九年（八九七）、宇多天皇は敦仁親王（醍醐《だいご》天皇）に皇位を譲り上皇となる。昌泰《しようたい》二年（八九九）、時平は左大臣、道真は右大臣に任ぜられ、また上皇は出家し法皇《ほうおう》となる。

このあたりから、時平の反撃がはじまる。貴種でないもの（ようするに藤原でないということ）の出世に、学閥からの妬《ねた》みも生まれた。

そして延喜《えんぎ》元年（九〇一）、時平は大納言源光《みなもとのひかる》を囲い込み、年若い醍醐天皇を籠絡《ろうらく》する。道真が天皇を廃そうとしている、と吹き込んだのだ。

醍醐天皇は時平の讒言を信じ、道真を非難するとともに、大宰権帥《だざいのごんのそち》を命じた。九州大宰府への左遷である。

その五日後、宇多法皇は事件が時平の陰謀であることを直接醍醐天皇に会って伝えようとするが、官人、衛士《えじ》らが取り囲み、阻止された。一晩粘ったが、時平らは相手にしなかった。

無念の思いを抱き、宇多法皇は引き返さざるを得なかった。こうして、道真の命運は決した。

東風《こち》吹かばにほひおこせよ梅の花あるじなしとて春を忘るな

菅原道真は、つとに名高いこの歌を残し、大宰府に去ったのである。

藤原摂関政治の本質

菅原道真の左遷によって、邪魔者は都から一掃された。藤原氏の繁栄は、これらの数々の政変を経て盤石なものとなったのである。

そして、藤原氏の北家のみが栄えるという日本史にとって悪夢の時代がやってくる。

摂関政治は、その象徴であろう。

摂関（摂政と関白）とは、幼少の帝を補弼《ほひつ》するもので、律令の規定にある役職ではない。ただし、補弼という言葉は正確ではない。摂政は幼帝を助けるのではなく、幼帝に代わって万機を執り行う最高の実力者であり、人臣には本来与えられなかった特別な力をもっていたことは間違いない。

皇族摂政の嚆矢《こうし》は聖徳太子で、さらに斉明朝の中大兄皇子《なかのおおえのみこ》、天武天皇の皇子・草壁《くさかべ》がこれに列《つら》なる。

人臣摂政のはじまりは貞観八年（八六六）の藤原良房である。良房は清和天皇の外祖父として君臨した。

人臣摂政になるためには、いくつもの条件が必要だった。まず第一に、天皇の外戚であること、そして藤原北家であること、さらに、過去に大臣経験のある人物である。

これに対し関白は、天皇元服後に任命され、天皇を補弼する。仁和三年（八八七）に宇多天皇から太政大臣・藤原基経に下された勅《みことのり》の中に、「関白」の語がみられ、やはり、その資格は、藤原北家の出身で、大臣経験者に限られた。

これは余談ながら、戦国時代を制した豊臣秀吉は、源氏の出身ではなかったので、武士の棟梁《とうりょう》に与えられる征夷大将軍《せいいたいしょうぐん》の称号を獲得することはできなかった。そこで秀吉は、藤原氏の養子に入り、「関白」の称号を獲得するにいたるのである。藤原氏の築いたこのような摂関制は、江戸時代にいたるまで五摂家《ごせっけ》の手で守られていくのである。

それはともかく、摂関政治体制の成立は、藤原基経の四男で時平の弟・忠平《ただひら》（八八〇～九四九）の時代に求められるといわれている。

制度的に定着し、儀式・故実が成立、貴族連合体制が安定し摂関政治を支える体制が整ったのである。

平安後期の藤原頼通《よりみち》は、『台記《たいき》』の中で摂政と関白の違いについて、「摂政とはすなわち天子のこと、関白は、いまだに臣下《しんか》の位《い》」と、二つの役職を区別しているが、摂政も関白も、実質的には全く同じ権限を与えられていたわけである。

それにしても、摂政を天子といって憚《はばか》らない藤原の驕《おご》りもおどろきだ。ちなみに「天子」とは、①天皇、②天命によって地上を治める者、を意味するのだが、この場合、「臣」に対する「天子」だから、天皇そのものを意味しているとしか思えない。

鎌足の墓をあばくのは不敬？

藤原氏が七世紀に勃興《ぼっこう》し、そののち幾たびにわたって血の粛清の仕掛け人となり、多くの皇族や豪族たちがその犠牲となり、藤原だけが繁栄するシステムが、こうしてできあがっていったのである。

藤原以外の氏族は、根こそぎ刈り取られ、衰弱していった。紀氏が、藤のとりついた木は枯れてしまうものだ、と嘆いて見せた意味も、これでよくわかるであろう。多くの人々の恨みを買い、人の生き血を吸って繁栄したのが藤原氏なのである。

中世に貴族社会が没落すると、湧《わ》きあがるかのように新たな宗教観が発生し、自由闊達《かったつ》な交易活動が開かれた。それはあたかも、藤原貴族社会の終焉《しゅうえん》を手放しで喜んでいたかのようであり、貴族社会の底辺で虐《しいた》げられていた人々が、いっせいに社会の前面に出てくるのも、藤原貴族社会の衰退と時を同じくしているように思える。

極論すれば、藤原氏の繁栄するとき、日本は衰弱するのである。それもそのはずで、藤原という一族は、自家の繁栄のみを貪欲《どんよく》に追求する一族だからである。

ところが、ここがまったく不思議なのだが、いまだに藤原氏の印象は悪くない。中臣鎌足が大悪人・蘇我入鹿を誅殺《ちゅうさつ》したという「正義」が、強烈な印象として残っているからなのだろうか。

それも一つの理由かもしれないが、多くの学者が、藤原氏のしでかしてきた数々の政争を糾弾していないところにも問題がある。なぜ史学者たちは、藤原氏を良くも悪くも書かないのであろうか。

昭和九年（一九三四）大阪府高槻《たかつき》市奈佐原《なさはら》阿武山《あぶやま》の京都大学の地震観測所の建設現場で、偶然古墳が発見された。それが阿武山古墳で、中には乾漆《かんしつ》の棺が埋められていた。このとき、棺内をレントゲン撮影したのだが、その写真は忘れられ、半世紀の年月を経て、昭和五十七年（一九八二）に発見された。昭和六十二年（一九八七）、コンピューターで画像処理した結果、冠帽《かんぼう》が写っており、それを復元してみると中臣鎌足の大織冠《たいしょくかん》である可能性がでてきた。

ところで、昭和九年、この古墳の埋葬者を中臣鎌足とする考えはすでにあって、大きな注目を集めていた。ところが、京都大学の内部対立などから、必要最小限度の調査のみを行い、古墳はふたたび埋められてしまったのである。この不自然なやり方に当時、「不敬罪《ふけいざい》」を恐れてのやむを得ぬ処置だったのではないかと噂《うわさ》されるにいたるのである。

ここにいう不敬罪とは、戦前の憲法に示された「皇室に対する罪」で、皇族に対し不敬の行いをすることはもちろん、神宮または皇陵に対し不敬を働いてもいけないと規定されていたのである。事実、第一発見者の志田順《しだとし》博士（地震観測所所長）は、「科学的な調査は貴人に対する冒瀆《ぼうとく》……」と発言している。

なぜ中臣鎌足の墓を暴《あば》くことが不敬なのであろう。それは、中臣鎌足の末裔《まつえい》・藤原氏が天皇家と濃密な姻戚《いんせき》関係を結んでいたからである。つまり、天皇家の血には「藤原の血」が強く入っているのであって、藤原は高貴で神聖な一族ということになる。だから、中臣鎌足の墓を暴くことは不敬罪になる、という発想である。

意外にも、このような戦前の藤原氏に対する「はばかり」は、今日にも強い影響を与えているのではあるまいか。

現代に不敬罪はないが、東京大学を頂点とする史学界は、いわば官僚的世界なのであり、その枠に収まった史学者たちが、藤原氏を悪く書くことにはばかりを感じているとすれば不幸なことであり、そうでないことを祈るばかりである。

藤原氏はなぜ歴史書を好んで編纂《へんさん》したのか

さて、先述の米田雄介氏は、『藤原摂関家の誕生』（吉川弘文館）の中で、大化前代以来の氏族合議制を律令制度に組み込んでいった功労者は藤原不比等と礼賛し、その後の藤原氏は、伝統的支配体制に大きな楔《くさび》を打ち込むことで、指導的活躍を行った、とする。

さらに、宇多天皇が藤原基経を「私個人のために働いているのではなく社稷《しゃしょく》＝国家のために身を粉にしているのだ」と称賛したことを挙げ、その証拠に、藤原氏による正史編纂事業を取り上げている。

すなわち、『日本書紀』を筆頭に、その後の多くの正史や格式《きゃくしき》（法令集）は、藤原氏が興隆するたびに編纂されていたことを述べた上で、

史書の撰修《せんしゅう》が、藤原氏の功績を称《たた》えるために行われるべきものではない。（中略）とくに六国史《りっこくし》は（中略）天皇の事蹟《じせき》を中心にして書かれている。

とする。

中国の歴史書が王朝の交替によって新王朝の正当性を述べるために記されたのに対し、日本の場合、王朝交替がなかったのだから、なぜ史書を編纂したかというと、藤原氏が執政《しっせい》の家として、それにふさわしい活躍をしているからだ、とするのである。すなわち、藤原氏の一国の宰相《さいしょう》を輩出する家としての自覚と責任感から、歴史書を編纂した、というのである。

どうにも納得できない。

王朝交替がなければ、歴史書は編纂されない、というのはまちがっている。為政者が過去の自家の「犯罪行為」を隠蔽《いんぺい》するためにも、歴史書の編纂は必要なものだからである。

藤原氏ほど「祟《たた》り」に怯《おび》えた一族はいない。なぜ人は祟りを恐れるかといえば、それは祟られる側にやましい心があるからで、その「悪行」の履歴を抹殺《まっさつ》したいという衝動を、権力者なら当然抱くであろう。

とするならば、歴史書編纂を、藤原氏の「執政者としての自覚と責任感」という生半可な理由をもって説明するわけにはいかない。

日本史の本当のタブーは藤原氏を語ること

平田耿二《こうじ》氏は『消された政治家菅原道真』（文春新書）のなかで、じつに興味深い指摘をしている。

平田氏は〝平安時代の中でも十世紀に古代の転機があり、延喜天暦《えんぎてんりやく》時代に画期的転換を開始する〟という石母田《いしもだ》正《しよう》氏の説に共鳴し、「延喜の改革」に注目する。さらに、広島大学名誉教授の坂本賞三《しようぞう》氏が多くの史料を分析した結果、延喜の改革は、すでにそれ以前の寛平《かんぴょう》年間からはじまっていた、とする説に着目した。というのも、「なぜなら、道真がまさにその渦中の人物だったから」とするのである。

なぜこれが大切なのかというと、延喜の改革は、藤原氏の手柄として一般には信じられてきたからである。そしてもちろん、菅原道真が改革事業に尽力していたことは、正史の中で伏せられたままなのだ。

そこで平田氏は、菅原道真の「改革者」「政治家」としての正体をあらゆる史料の中から発掘していくのである。

そしてその結果、新しい土地支配の原則が菅原道真の手で立案された証拠をみつけ、道真があたらしい収取システムを実施するために構想した土地改革を、時平が実施に移したことを、ここにはっきりと確認したことになる。

と結論づけたのである。ここにある時平とは、菅原道真を陰謀ではめ、大宰府に左《さ》遷《せん》した藤原時平である。

菅原道真は聖徳太子以来の改革者であり、律令制度の矛盾と不備によって疲弊した朝廷を建て直すために奔走していた。そして、律令本来の理念をとりもどすべく、いよいよ最終段階に入り、新たな原則を実施しようとしたそのとき、藤原時平の仕業で大宰府に左遷されていたのである。

藤原氏が菅原道真の業績を横取りし、歴史から抹殺していたことは明らかであろう。

こうして藤原氏の歴史を辿《たど》ってくると、どうにもやるせなくなってくるのである。

自家のみの繁栄を追求した藤原氏が、この国の歴史を牛耳ってきたことに、深い憤《いきどお》りさえ覚えるのである。

貴族社会が衰弱した中世、藤原氏の末裔は、新たな支配者に忍び寄っていく。室町幕府の足利《あしかが》将軍家には、藤原北家の末裔の日野氏が女人を送り込み、姻戚《いんせき》関係を結んでいく。

第三代将軍足利義満《よしみつ》以来九代の将軍まで、室を入れ、応仁の乱で名高い日野《ひの》富子《とみこ》は第八代将軍足利義政《よしまさ》の室であった。

江戸時代には、徳川将軍家とも姻戚を結んだ。三代将軍家光《いえみつ》の夫人は鷹司信房《たかつかさのぶふさ》の娘・中の丸であり、こののちも、将軍家と藤原氏の縁組みは続いた。

だからこそ、藤原氏の末裔は幕末にいたり、幕府と反幕府勢力双方の橋渡し役を演じ、大きな発言力を持つにいたるのである。

また、彼らが築いた日本の官僚制度は、江戸時代末期まで京都の朝廷に生き続け、明治維新後の近代日本にも、大きな影を落としていく。

天皇を神といただき、「天皇のために」というスローガンによって近代日本は突き進んだ。しかし、このような一神教的な天皇の持ち上げ方は、本来の天皇の本質とかけ離れていて、またいっぽうで、藤原氏が得意とする「天皇の利用法」であった。

そして戦後、旧華族層の閨閥《けいばつ》は蜘蛛《くも》の巣のように張り巡らされ、支配する者と支配される者の二極分化が密《ひそ》かに進められているのである。

意外にも近代、現代日本は、藤原氏の呪縛《じゅばく》から逃れることができないでいるのではあるまいか。そして、日本史のタブーとは、天皇家に被《かぶ》されているのではなく、その裏側にうごめく藤原氏にあるのだという疑いを、あらためて思い起こさずにはいられないのである。

おわりに

『日本書紀』に中臣鎌足《なかとみのかまたり》が登場する直前のこと、気になる記事がのこされている。

百済《くだら》王豊璋《ほうしよう》が、三輪《みわ》山で蜜蜂《みつばち》を飼おうとしたが失敗した、という話である。

天香具山《あまのかぐやま》同様、三輪山は神聖な山であり、人が入ることはできなかったはずである。

その三輪山で豊璋が蜜蜂を放ったというこの記事は、いったい何を意味しているのだろう。そして、その直後の中臣鎌足神祇伯《じんぎはく》任命記事である。二つの記事に、何か関係があるのだろうか。

推理をたくましくすれば、百済王豊璋が何かしらの「出雲《いずも》の神の山」への冒瀆《ぼうとく》をおこない、それが「蜜蜂」で暗示されていた、ということであろうか。あるいは、百済救援に見向きもしない飛鳥《あすか》の政権に対し、百済王豊璋が不穏な動きを見せた、ということであろうか。

ところで、百済王の「蜜蜂」は、もう一つの意味で、暗示的である。

昆虫の蜜蜂をめぐって、こんな話がある。

日本在来種の蜜蜂の群の中に西洋蜜蜂を放っても、両者は共存するが、西洋蜜蜂の群の中に日本蜜蜂を放つと、西洋蜜蜂は日本蜜蜂を徹底的に叩《たた》きのめし、全滅させてしまう、というのだ。したがって現在では、養蜂家のほとんどが西洋蜜蜂を飼い、蜜を集めているのである。

また、蜜蜂は湿度に弱く、一定の極点に達すると巣の中の幼虫が死滅してしまう。そのため働き蜂が巣の中に風を送り込むが、そのとき西洋蜜蜂は頭を外に出すのに対して、日本蜜蜂は尻《しり》をだして無防備なのだという。

なぜこのような差ができてしまったかというと、日本には花が多いが、かたやヨーロッパには花が少なく、共存共栄がはかりにくいからだ。しかも、日本の夏は長いのに対し、ヨーロッパは短くまた天敵も多い。そして、西欧人の「より強い蜂（天敵）を使い、邪魔な蜂を駆逐する」という発想が、現在の西洋蜜蜂を育て上げたといわれている（会田雄次『日本人の意識構造』講談社）。

ようするに、外敵の少ない日本の蜜蜂はお人好しなのである。そして、このような日本蜜蜂の習性は日本人そのものの属性とも通じている。いや、日本人のお人好しが、日本蜜蜂の属性を形づくったといった方が正確なのである。

このような日本人の習性の根は深く、すでに縄文時代に形成され、弥生《やよい》時代の渡来人受け入れに繋《つな》がっていったはずである。

では、なぜこのような特殊な民族が生まれたのかといえば、それはなんといっても、日本が東海の孤島だったからであろう。常に隣人と接触し、喧嘩《けんか》をしてきた民族からすれば、日本列島人の「お人好し」は、噴飯ものであったかもしれない。日本人が「多神教」というおだやかな宗教観を保ちつづけてこられたのも、「海」という防波堤があったからにほかなるまい。

そして、日本蜜蜂と西洋蜜蜂の話は、七世紀の飛鳥の都で新たな国家建設を目論《もくろ》んでいたヤマトの豪族と、その隙《すき》をついて権力を独占しようとした藤原氏の姿に重なってくる。

藤原氏が千年王国を築き得たのは、藤原不比等の手腕によるところが大きいが、そのいっぽうで、律令《りつりょう》制度の導入期の混乱が不比等に味方したこと、そして、ヤマトの豪族層の「日本蜜蜂」的な属性が、「西洋蜜蜂」的な藤原氏にとって、格好の餌食《えじき》となったことが大きな要因であろう。

なお、今回の文庫化にあたっては、新潮社常務取締役松田宏氏、新潮文庫編集部の青木大輔氏、同内田諭氏、㈱アイブックコミュニケーションズ代表取締役の的場康樹氏、歴史作家の梅澤恵美子氏のみなさまにお世話になりました。改めてお礼申し上げます。

合掌

文庫版あとがき

「藤原に何か恨みでもあるのか」

と、聞かれることがある。

友人に藤原君がいるわけでもないし、藤原さんにいじめられた覚えもない。学校で習った通り、子供のころから、中臣鎌足こそが大化改新《たいかのかいしん》の立役者であり、天皇家中興《ちゆうこう》の英雄と信じて疑わなかった。

千数百年の間、上流階級でありつづけてきたことに対するやっかみがあるわけでもない。

ところが、仏像に魅了され奈良に通い始めるようになって、

「本当に、藤原氏は、人々の期待を一身に背負った英雄だったのだろうか」

という疑念が頭から離れなくなってしまったのである。

そう考えた理由は、いくつもある。

奈良ホテルから元興寺《がんごうじ》にかけての一帯は、「平城《なら》の飛鳥《あすか》」と呼ばれていた。平城京《へいじょうきょう》の人々は、この地に飛鳥の面影を探し出していたようなのだ。元興寺は飛鳥の法興寺《ほうこうじ》

(飛鳥寺《あすかでら》)を移築したもので、法興寺は飛鳥のシンボルであった。

現代人も、なぜか「あすか」の言葉の響きに、懐《なつ》かしさを感じてしまうのである。天智《てんじ》天皇の御子《みこ》・志貴皇子《しきのみこ》も、飛鳥には深い思い入れがあったようだ。『万葉集』に、次の一首がある(巻一―五一)。

采女《うねめ》の袖《そで》吹きかへす明日香風《あすかかぜ》都を遠みいたづらに吹く

飛鳥から藤原京への遷都《せんと》のあとに作られたもので、「明日香風(飛鳥に吹く風)」が、今は何の甲斐《かい》もなく、いたづらに吹いているという。飛鳥は藤原京からみて、すぐ目と鼻の先にもかかわらず、志貴皇子は飛鳥の里に、深い郷愁の念を抱いていたのである。

志貴皇子に限らず、古代人は飛鳥に、「古き良き時代」を感じとっていたようなのだ。大伴坂上郎女《おおともさかかみのいらつめ》の歌に、つぎのようなものがある(『万葉集』巻六―九九二)。

ふるさとの　飛鳥はあれど　青丹《あをに》よし　平城《なら》のあすかを　みらくしよしも

ふる里の飛鳥も懐かしいが、平城の飛鳥もまたすばらしい、というのである。
なぜ人々は、「飛鳥」が忘れられなかったのだろう。「飛鳥」は「蘇我氏《そがし》全盛時代の都」なのであって、教科書で習ったように、蘇我氏が大悪人で、飛鳥時代が蘇我専横の暗黒時代だったのならば、これは不自然ではなかろうか。

明日香村の飛鳥寺と甘樫丘《あまかしのおか》の間に、入鹿《いるか》の首塚《くびづか》があって、いくたびか通っている内に、はっとした。

「そういえば、首塚に手向けられる花が、絶えたことがない」
と気づいたのである。ちょっと不意を突かれた思いだった。

橿原市《かしはらし》小綱《しょうこ》の入鹿神社でも、似たような驚きを感じた。そこかしこの路傍に、無数の石柱が立てられ、「蘇我入鹿公御旧跡」と刻まれていたからだ。「公」も「御旧跡」も、極悪人に対して用いる言葉ではない。だからこの石柱は、戦時中「不謹慎」ということで、すべて取り払われてしまったという。それでも今、入鹿神社の周辺で件《くだん》の石柱がみられるのは、戦後、この地区の人々が、もとに戻したためである。

このような例をみているうちに、「なにかが違う」と、思い始めた。われわれの知らない歴史が、奈良の地に埋もれているのではないかと、思えてならなくなった。そして、教科書に書いてあったことは、まちがっているのではないか、と疑い始めたのである。

こうして、『日本書紀』を読み直す旅は始まった。そして、蘇我の謎《なぞ》を追っていくうちに、教科書では教えてもらえなかった藤原氏の裏の顔が見えてきたのである。

筆者は、藤原氏が嫌いなわけではない。だが、藤原氏の歴史をそのまま素直に書き連ねれば、それだけで、藤原に対する辛らつな批判になってしまうのだ。史学界がいまだに、藤原氏の肩をもつことこそ、奇怪でならないのである。

考えれば考えるほど、藤原とは不思議な一族である。藤原氏の繁栄と日本人の幸福は、相容《あいい》れない。それはなぜかといえば、藤原氏が他氏との共存を拒んだからだ。それにもかかわらず、彼らは千数百年の間日本に君臨し、今でも門閥の頂点に立ち、隠然たる力を維持しつづけているのである。

この生命力は、いったいどこから来たのだろう。

そして、「藤原の呪縛《じゅばく》」から、いつわれわれは解き放たれるのであろうか。

二〇〇八年九月　　関　裕二

主要参考文献一覧

『古事記・祝詞』　日本古典文学大系　（岩波書店）
『日本書紀』　日本古典文学大系　（岩波書店）
『風土記』　日本古典文学大系　（岩波書店）
『萬葉集』　日本古典文学大系　（岩波書店）
『続日本紀』　新日本古典文学大系　（岩波書店）
『三国史記倭人伝』　佐伯有清編訳　（岩波書店）
『先代舊事本紀訓註』　大野七三編　（新人物往来社）
『日本の神々』　谷川健一編　（白水社）
『神道大系　神社編』　（神道大系編纂会）
『門閥』　佐藤朝泰　（立風書房）
『大鏡』　日本古典文学大系　（岩波書店）
『律令貴族と政争』　木本好信　（塙選書）
『懐風藻』　日本古典文学大系　（岩波書店）
『古語拾遺』　西宮一民校注　（岩波文庫）
『藤原鎌足とその時代』　青木和夫・田辺昭三編　（吉川弘文館）

『隠された十字架』梅原猛（新潮社）
『藤原鎌足』田村圓澄（塙新書）
『国史大系　日本三代実録』黒板勝美編（吉川弘文館）
『神社の古代史』岡田精司（大阪書籍）
『古代日本正史』原田常治（同志社）
『大嘗祭』吉野裕子（弘文堂）
『気候変化と人間』鈴木秀夫（大明堂）
『大化改新』遠山美都男（中公新書）
『三国史記』林英樹訳（三一書房）
『藤氏家伝　注釈と研究』矢嶋泉（吉川弘文館）
『壬申の乱』直木孝次郎（塙書房）
『岩波講座　日本通史』（岩波書店）
『天皇と古代国家』早川庄八（講談社学術文庫）
『額田王の謎』梅澤恵美子（ＰＨＰ文庫）
『続・神々の体系』上山春平（中公新書）
『竹取物語』日本古典文学大系（岩波書店）
『竹取物語と中将姫伝説』梅澤恵美子（三一書房）
『帝王聖武』瀧浪貞子（講談社選書メチエ）

『日本霊異記』 中田祝夫全訳注 （講談社学術文庫）
『万葉びとの生活』 阿倍猛 （東京堂出版）
『藤原摂関家の誕生』 米田雄介 （吉川弘文館）
『群書類従』 塙保己一編 （続群書類従完成会）
『寧楽遺文』 竹内理三編 （東京堂出版）
『消された政治家菅原道真』 平田耿二 （文春新書）
『天武天皇出生の謎』 大和岩雄 （臨川書店）

この作品は平成十四年十二月東京書籍より刊行されたものを底本に、
大幅に加筆修正したものである。

梅原猛著
水底の歌
——柿本人麿論——
大佛次郎賞受賞（上・下）

柿本人麿は流罪刑死した。千二百年の時空を飛翔して万葉集に迫り、正史から抹殺された古代日本の真実をえぐる梅原日本学の大作。

梅原猛著
天皇家の〝ふるさと〟日向をゆく

天孫降臨は事実か？　梅原猛が南九州の旅で記紀の神話を実地検証。戦後歴史学最大の〝タブー〟に挑む、カラー満載の大胆推理紀行！

梅原猛著
葬られた王朝
——古代出雲の謎を解く——

かつて、スサノオを開祖とする「出雲王朝」がこの国を支配していた。『隠された十字架』『水底の歌』に続く梅原古代学の衝撃的論考。

柳田国男著
日本の伝説

かつては生活の一部でさえありながら今は語り伝える人も少なくなった伝説を、全国から採集し、美しい文章で世に伝える先駆的名著。

柳田国男著
日本の昔話

「藁しべ長者」「聴耳頭巾」——私たちを育んできた昔話の数々を、民俗学の先達が各地から採集して美しい日本語で後世に残した名著。

大野晋著
日本語の年輪

日本人の暮しの中で言葉の果した役割を探り、言葉にこめられた民族の心情や歴史をたどる。日本語の将来を考える若い人々に必読の書。

宮本輝著　優駿　吉川英治文学賞受賞（上・下）

人びとの愛と祈り、ついには運命そのものを担って走りぬける名馬オラシオン。圧倒的な感動を呼ぶサラブレッド・ロマン！

宮本輝著　道頓堀川

大阪ミナミの歓楽の街に生きる男と女たちの、人情の機微、秘めた情熱と屈折した思いを、青年の真率な視線でとらえた、長編第一作。

宮本輝著　花の回廊　流転の海第五部

昭和三十二年、十歳の伸仁は、尼崎の叔母の元で暮らしはじめる。一方、熊吾は駐車場運営にすべてを賭ける。著者渾身の雄編第五部。

宮本輝著　月光の東

「月光の東まで追いかけて」。謎の言葉を残して消えた女を求め、男の追跡が始まった。凜冽な一人の女性の半生を描く、傑作長編小説。

宮本輝著　草原の椅子（上・下）

虐待されて萎縮した幼児を預かった五十男二人は、人生の再構築とその子の魂の再生を期して壮大な旅に出た――。心震える傑作長編。

宮本輝著　流転の海　第一部

理不尽で我儘で好色な男の周辺に生起する幾多の波瀾。父と子の関係を軸に戦後生活の有為転変を力強く描く、著者畢生の大作。

宮本輝著

地の星

流転の海 第二部

人間の縁の不思議、父祖の地のもたらす血の騒ぎ……。事業の志半ばで、郷里・南宇和に引きこもった松坂熊吾の雌伏の三年を描く。

宮本輝著

血脈の火

流転の海 第三部

老母の失踪、洞爺丸台風の一撃……大阪へ戻った松坂熊吾一家を、復興期の日本の荒波が翻弄する。壮大な人間ドラマ第三部。

宮本輝著

天の夜曲

流転の海 第四部

富山に妻子を置き、大阪で事業を始める松坂熊吾。苦闘する一家のドラマを高度経済成長期の日本を背景に描く、ライフワーク第四部。

深田久弥著

日本百名山

読売文学賞受賞

旧い歴史をもち、文学に謳われ、独自の風格をそなえた名峰百座。そのすべての山頂を窮めた著者が、山々の特徴と美しさを語る名著。

呉茂一著

ギリシア神話（上・下）

時代を通じ文学や美術に多大な影響を与え続けたギリシア神話の世界を、読みやすく書きながら、日本で初めて体系的にまとめた名著。

小林秀雄著

Xへの手紙・私小説論

批評家としての最初の揺るぎない立場を確立した「様々なる意匠」、人生観、現代芸術論などを鋭く捉えた「Xへの手紙」など多彩な一巻。

井上靖著

夏《なつ》草《ぐさ》冬《ふゆ》濤《なみ》（上・下）

両親と離れて暮す洪作が友達や上級生との友情の中で明るく成長する青春の姿を体験をもとに描く、『しろばんば』につづく自伝的長編。

井上靖著

敦煌（とんこう）

毎日芸術賞受賞

無数の宝典をその砂中に秘した辺境の要衝の町敦煌――西域に惹かれた一人の若者のあとを追いながら、中国の秘史を綴る歴史大作。

井上靖著

孔子

野間文芸賞受賞

戦乱の春秋末期に生きた孔子の人間像を描く。現代にも通ずる「乱世を生きる知恵」を提示した著者最後の歴史長編。野間文芸賞受賞作。

井上靖著

風濤（ふうとう）

読売文学賞受賞

朝鮮半島を蹂躙してはるかに日本をうかがう強大国元の帝フビライ。その強力な膝下に隠忍する高麗の苦難の歴史を重厚な筆に描く。

井上靖著

額《ぬか》田《たの》女《おお》王《きみ》

天智、天武両帝の愛をうけ、〝紫《むらさき》草のにほへる妹〟とうたわれた万葉随一の才媛、額田女王の劇的な生涯を綴り、古代人の心を探る。

井上靖著

天平の甍

芸術選奨受賞

天平の昔、荒れ狂う大海を越えて唐に留学した五人の若い僧――鑒真来朝を中心に歴史の大きなうねりに巻きこまれる人間を描く名作。

新田次郎著
アルプスの谷 アルプスの村

チューリッヒを出発した汽車は、いよいよ憧れのアイガー、マッターホルンへ……ヨーロッパの自然の美しさを爽やかに綴る紀行文。

新田次郎著
アラスカ物語

十五歳で日本を脱出、アラスカにわたり、エスキモーの女性と結婚。飢餓から一族を救出して救世主と仰がれたフランク安田の生涯。

新田次郎著
孤高の人（上・下）

ヒマラヤ征服の夢を秘め、日本アルプスの山々をひとり疾風の如く踏破した〝単独行の加藤文太郎〟の劇的な生涯。山岳小説の傑作。

新田次郎著
八甲田山死の彷徨

全行程を踏破した弘前三十一聯隊と、一九九名の死者を出した青森五聯隊――日露戦争前夜、厳寒の八甲田山中での自然と人間の闘い。

新田次郎著
銀嶺の人（上・下）

仕事を持ちながら岩壁登攀に青春を賭け、女性では世界で初めてマッターホルン北壁完登を成しとげた二人の実在人物をモデルに描く。

新田次郎著
強力伝・孤島
直木賞受賞

直木賞受賞の処女作「強力伝」ほか、「八甲田山」「凍傷」「おとし穴」「山犬物語」など、山岳小説に新風を開いた著者の初期の代表作。

海音寺潮五郎著

西郷と大久保

熱情至誠の人、西郷と冷徹智略の人、大久保。私心を滅して維新の大業を成しとげ、征韓論で対立して袂をわかつ二英傑の友情と確執。

山本周五郎著

山彦乙女

徳川の天下に武田家再興を図るみどう一族と武田家の遺産の謎にとりつかれた江戸の若侍。著者の郷里が舞台の、怪奇幻想の大ロマン。

山本周五郎著

あとのない仮名

江戸で五指に入る植木職でありながら、妻とのささいな感情の行き違いから、遊蕩にふける男の内面を描いた表題作など全8編収録。

山本周五郎著

四日のあやめ

武家の法度である喧嘩の助太刀のたのみを、夫にとりつがなかった妻の行為をめぐり、夫婦の絆とは何かを問いかける表題作など9編。

池波正太郎
平岩弓枝
松本清張
山本周五郎
宮部みゆき
著

親不孝長屋
—人情時代小説傑作選—

親の心、子知らず、子の心、親知らず——。名うての人情ものの名手五人が親子の情愛を描く。感涙必至の人情時代小説、名品五編。

池波正太郎
山本一力
北原亞以子
山本周五郎
藤沢周平
著

たそがれ長屋
—人情時代小説傑作選—

老いてこそわかる人生の味がある。長屋を舞台に、武士と町人、男と女、それぞれの人生のたそがれ時を描いた傑作時代小説五編。

藤原氏《ふじわらし》の正体《しょうたい》

新潮文庫　せ-13-1

平成二十年十二月一日発行
令和元年六月三十日十四刷

著者　関《せき》裕《ゆう》二《じ》

発行者　佐藤隆信

発行所　株式会社新潮社

郵便番号　一六二―八七一一
東京都新宿区矢来町七一
電話 編集部(〇三)三二六六―五四四〇
　　 読者係(〇三)三二六六―五一一一
http://www.shinchosha.co.jp

価格はカバーに表示してあります。

印刷・錦明印刷株式会社　製本・錦明印刷株式会社

ISBN978-4-10-136471-1 C0121